PROFESOR RANDA
ACADEMIA DE TRUHANES

EL ARTE DE SECUESTRAR

PROFESOR RANDA
ACADEMIA DE TRUHANES

EL ARTE DE SECUESTRAR

TERRY DEARY

Ilustraciones de John Kelly

EDELVIVES

Este libro es un homenaje a los miles de pobres que sufrieron y murieron en los hospicios de la reina Victoria. Está dedicado a la memoria de John Wells, quien reveló las espantosas escenas del hospicio de Andover en 1845, donde los pobres eran obligados a triturar huesos que se usaban después como fertilizante. Según la descripción de John:

«He visto a los hombres masticar huesos y partirlos para chupar el tuétano y la grasa. Se alegraban un montón al conseguirlo. Tenían muchísima hambre».

Traducción: Máximo Sáez Escribano

Título original: *Classes in Kidnapping*
Publicado por primera vez en el Reino Unido en 2009
por Scholastic Children's Books
© del texto: Terry Deary, 2009
© de las ilustraciones: John Kelly, 2009
© de esta edición: Editorial Luis Vives, 2010
Carretera de Madrid, km. 315,700
50012 Zaragoza
Teléfono: 913 344 883
www.edelvives.es

Edición: Jorge Hernán Gómez

ISBN: 978-84-263-7376-2
Depósito legal: Z. 183-2010

Talleres Gráficos Edelvives (50012 Zaragoza)
Certificados ISO 9001
Printed in Spain

ÍNDICE

Prólogo   7

Capítulo 1 – **Sombras y sustos**   11

Capítulo 2 – **Winrich y Waterloo**   24

Capítulo 3 – **Ruby y el rescate**   39

Capítulo 4 – **Peniques y pobres**   59

Capítulo 5 – **Canes y carcamales**   74

Capítulo 6 – **Miedo y miseria**   88

Capítulo 7 – **Pasteles y planes**   102

Capítulo 8 – **Ganas y gachas**   117

Capítulo 9 – **Papel y pintura**   133

Capítulo 10 – **Caos y carretas**   147

Capítulo 11 – **Demandas y disparos**   165

Capítulo 12 – **Brazaletes y ballenas**   182

Capítulo 13 – **Fusilamientos y fechorías**   196

Capítulo 14 – **Piedras y palabras**   211

Prólogo

La reina ha muerto. «Larga vida al rey», como dicen por ahí.
¿Quiénes lo dicen? No lo sé, pero queda muy bien decirlo.
Ya habrás leído las noticias en los periódicos. La vieja reina
era una mujer de ideas extrañas...

Sábado, 2 de febrero de 1901

El diario de Winrich

ES REAL: ¡REINA MUERTA AL HOYO!

LA DIFUNTA REINA VICTORIA será enterrada hoy en el Gran Parque de Windsor, cerca de Londres. (Para nuestros lectores de Winrich, aclaramos que Londres es la capital de Inglaterra).

LA REINA quería que fuesen sus hijos quienes la depositaran en el féretro y, una vez más, su voluntad se cumplió. Nuestro enviado especial nos explica que la reina expresó ese deseo antes de morir.

TAMBIÉN DIJO (antes de morir) que detestaba la ropa negra en los funerales, por lo que Londres se adornó de púrpura y blanco para el evento.

Cont.

EL ALCALDE DE WINRICH, sir Peter Fangal, declaró que Winrich también tendría que engalanarse de púrpura y blanco. Nadie estuvo de acuerdo, así que no se hizo nada. Como dijo su esposa: «Si la reina nunca vino a Winrich, ¿por qué debería importarnos?».

EL CADÁVER DE LA REINA llevaba un vestido blanco de novia. Por supuesto, no era el mismo que llevaba el día de su boda con el príncipe Alberto. Estaba demasiado gorda para eso.

NUESTRO ENVIADO ESPECIAL nos llamó por teléfono para decirnos que comenzó a nevar en cuanto la depositaron en el féretro.

VICTORIA REINÓ durante sesenta y tres años, siete meses y dos días: ningún otro soberano británico reinó tanto. (Curiosamente, como solo medía metro y medio, ningún otro soberano británico fue tan bajito).

HUBO OCHO INTENTOS de asesinar a la reina durante esos sesenta y tres años. Salió ilesa de todos, aunque Robert Pate le aplastó el sombrero de un bastonazo en 1850. Pate estaba loco de remate. La reina no andaba precisamente loca de alegría.

AL FINAL, esa gran asesina, la Vejez, pudo con ella. Dejó nueve hijos y cuarenta y dos nietos (la reina Victoria, no la Vejez), muchos de ellos reyes y reinas en países europeos.

SERÁ ENTERRADA cerca de su marido, que falleció hace cuarenta años y ya estará un poco mohoso.

EL HEREDERO DE LA CORONA es el príncipe Eduardo, que solo ha tenido que esperar cincuenta y nueve años para ser rey.

En el mismo instante en que la reina Victoria estiró la pata, el príncipe Eduardo se convirtió en el rey Eduardo. El país y el imperio nunca se quedan sin su rey o su reina. No pasamos ni un segundo desreinados.

Pero hay algo raro en eso… ¡Nadie consigue explicarme por qué funciona así!

¿Para qué nos sirven los reyes y las reinas a nosotros, los pobres? ¿Alguien puede decírmelo? Y mejor no empiezo a hablar de todos esos ricos y sinvergüenzas que nos gobiernan.

No, mejor voy a contarte una historia muy interesante. Como vimos, la mujer del alcalde dijo: «La reina Victoria nunca vino a Winrich».

La esposa del alcalde tenía muchísima razón.

Pero la esposa del alcalde también estaba bastante equivocada.

Yo conozco lo que pasó. Yo estuve ahí, en Winrich, durante ese lejano marzo de 1837. La historia se ha conservado en secreto todos estos años, pero es el momento de revelarla.

Señor X

18 de marzo de 1901

Capítulo 1

SOMBRAS Y SUSTOS

Lunes, 12 de marzo de 1837

La muchacha caminaba por las calles oscuras de Winrich.
Algunos faroles de gas resplandecían con una luz
verdosa y brindaban un aspecto enfermizo a su cara
pálida y delgada. Sus ojos iban de un lado a otro, como
mariposas en una jarra, con un gesto de preocupación.

No había nadie en la calle para ayudarla. Quedaba
poco para la medianoche y hasta los borrachos de las
tabernas habían vuelto a casa a trancas y barrancas,
entre tropezones y trastabillones, topetazos y batacazos,
trompicones y agarrones, encontronazos y trompazos…

Los perros callejeros jugaban, los gatos rateaban,
los murciélagos murcielagueaban…

Eso hacen los murciélagos, ¿no?

La muchacha echó un vistazo alrededor. Algo desapareció tras la sombra de un portal. Era la sombra de una sombra. Recorrió con la vista el camino del Mar, la empinada cuesta que llevaba hasta la calle Mayor de Winrich, allá en lo alto. Solo tenía que avanzar quinientos metros más y estaría a salvo.

Pero en quinientos metros pueden pasar muchísimas cosas. En cualquier momento podrían atraparla y acabar con ella. Se cubrió su rubia melena rizada con el chal y caminó deprisa sobre los adoquines, escurridizos a causa del aire húmedo de la noche.

El reloj del ayuntamiento dio los tres cuartos de hora: «din don, din don, din don...».

Solo quedaba un cuarto de hora para la medianoche. Disponía de quince minutos para ponerse a salvo. Y en quince minutos pueden pasar muchísimas cosas... Algunas personas se podrían comer veinte guisos de cerdo en quince minutos.

A su izquierda tenía una serie de patios traseros de casas, conectados entre sí por callejones en los que los faroles de gas permanecían apagados.

Se detuvo en la primera esquina y observó la lúgubre penumbra del callejón que corría tras la calle Fulwell. Oyó un crujido, un chapoteo y la respiración entrecortada de algo enorme y peludo…

¡Vale, vale! Tienes razón. No se puede oír si algo es peludo. Solo que aquello sonaba enorme y la muchacha imaginó que sería peludo. Ahora recuerdo que una vez fui alumno de una persona que respiraba como un toro y, a pesar de eso, tenía una calvorota enorme. Una calvorota enorme y feísima. Por lo demás, era una profesora bastante amable.

Se escuchó un ruido metálico y agudo sobre los adoquines: «clinc». Y se repitió, precedido de otros sonidos.

«Cric, plof, uff, clinc».

Y el olor. El olor pestilente de la letrina. Una rata gorda salió corriendo del callejón. Ni siquiera las ratas soportaban semejante olor.

«Cric, plof, uff, clinc».

Volvió a mirar por encima del hombro. La sombra desapareció en el siguiente portal. Solo una sombra. Debería haber dos.

«Cric, plof, uff, clinc».

Los sonidos del callejón se acercaban cada vez más, hasta que unas figuras se recortaron contra la luz de los faroles de la calle de enfrente.

Lo primero en aparecer fue un caballo grande y peludo. Luego, la carreta. Finalmente, los dos hombres entraron en escena. Los basureros alzaron la vista y le sonrieron.

Uno de los hombres se agachó y abrió la portezuela de madera que había en el suelo de uno de los patios traseros. «Cric». El otro metió una pala en el agujero y sacó las cenizas y los desechos humanos de la letrina.

Obviamente tendrás tu propia letrina en algún rincón de la casa, solo que hoy día la llamaréis retrete o baño, ¿verdad? También supongo que tu letrina estará limpia gracias al agua corriente. Pero en esa época usábamos una caja que se llenaba con ceniza. Uno se sentaba sobre unos tablones con un agujero en medio y hacía sus necesidades sobre las cenizas. Luego, los basureros venían a vaciar la caja. Un trabajo fascinante… Bueno, al menos estable. ¡A que te habría encantado!

Cargaron la maloliente mezcla de excrementos y cenizas en la carreta de la basura. «¡Plof!».

El caballo se dirigió, a duras penas, hacia la siguiente letrina. «¡Uff!».

Los cascos del caballo repiquetearon contra los adoquines mojados. «¡Clinc!».

Los hombres llegaron a la esquina de la última casa e hicieron una pausa.

—¿Qué pasa, chavala? —saludó el más bajito—. ¿Quieres un palo?

La muchacha miró por encima del hombro. Había cientos de sombras en la calle, pero ninguna se movía. Mientras estuviese junto a los basureros, nadie podría tocarla.

—¿Un palo? ¿Para qué? —preguntó.

El basurero más alto negó con la cabeza.

—¡Estos chicos de ahora! —Se apoyó en el caballo y dijo—: Coges un palo largo, lo metes en la parte trasera de la carreta y así la punta se llena de un buen montón de porquería apestosa.

—Ya veo —comentó la muchacha… Aunque no veía nada.

El basurero bajito intervino:

—Entonces vas con el palo a las casas de los ricachones (a las del paseo del Sur, por ejemplo) y pasas el palo por los picaportes. Cuando los ricachones lleguen a casa y abran la puerta…

Hace años que nadie practica este encantador juego. Qué pena que estos entrañables pasatiempos caigan en el olvido, ¿verdad? Por supuesto, no sugiero que vayas por ahí con un palo haciéndote el gracioso. ¡Oh, claro que no! Al fin y al cabo, ¡podrías ensuciar mi picaporte! Lo mejor es que olvides esta historia sobre palos y carretas estercoleras. Gracias.

—Sí, comprendo —dijo la muchacha con rapidez—. Pero no tengo tiempo para juegos. Debo ir a la comisaría de la calle Mayor.

Los hombres asintieron.

—¡Podemos llevarte en la carreta hasta más adelante! —ofreció el bajito, que extendió las manos para levantarla.

—¡No! —dijo la muchacha enseguida… Incluso a la escasa luz de los faroles esas manos parecían cubiertas de algo indescriptible—. Prefiero caminar, gracias.

Los hombres asintieron y llevaron el caballo hacia la cuesta del camino del Mar. El caballo resopló y tiró de su carga. Llegaron al siguiente callejón y se adentraron en él.

—Buenas noches, señorita —dijo el basurero bajito.

La muchacha miró por encima del hombro.

La sombra se había refugiado tras un farol. Al menos

ya estaba doscientos metros más cerca de su objetivo. Solo quedaban trescientos. De repente, entre las tinieblas, se oyó un ruido de pasos acercándose por el callejón. Los basureros se miraron el uno al otro, asustadísimos.

—¡Vienen por nosotros! —dijo el más bajito con voz ronca. Soltó las riendas del caballo y salió corriendo colina arriba.

Sonó un silbato de policía. Se escuchó un eco tras el primer ruido de pasos: otro par de botas de policía se aproximaba desde la colina, cortando cualquier ruta de escape. El policía del segundo par de botas, flaco como un palillo y con un bigote que parecía el cordón blanco de una bota, se paró de golpe. Agarró del hombro al basurero bajito.

—¡Buuu! —gritó.

Su compañero llegaba por el callejón sin iluminación: un agente redondete como la luna y con la cara tan roja como Marte se detuvo entre jadeos.

—Os arresto… en nombre… del cuerpo de… policía de Winrich —logró decir. Aunque hacía mucho frío esa noche, los agentes sudaban a mares dentro de sus uniformes azules de lana—. Ponles las esposas, agente Colín.

—No he traído las esposas, agente Gordon —confesó, en voz baja, el policía delgaducho. Se levantó el sombrero de copa, dejando ver su pelo canoso, y se limpió el sudor de la huesuda cara—. Las dejé en el cajón de la comisaría.

Gordon gruñó, sin saber qué hacer. Sacó la hoja con las órdenes de esa noche.

CUERPO DE POLICÍA DE WINRICH

Fecha: 12 de marzo de 1837

Órdenes para la patrulla nocturna.

Diríjanse a la esquina del camino del Mar y la calle Fulwell, en Winrich. Patrullen los callejones que dan al camino del Mar. Tengan cuidado para evitar ser vistos. Busquen y arresten a los hombres que vacían las letrinas. Enciérrenlos en la celda de la comisaría. Llévenlos al tribunal mañana por la mañana... tras darles un baño. (Probablemente ustedes también necesitarán uno).

Inspector jefe Bicher

Gordon fulminó a su compañero con la mirada.

—No tenemos instrucciones de olvidar las esposas.

—Así que tendréis que dejarnos marchar, agentes —se aventuró a decir el basurero alto con una sonrisa.

—O mejor, tendremos que daros en la cabeza con las porras —Gordon frunció el ceño—. Y después os llevamos a la comisaría en la carreta.

—¡No! —se arrepintió el basurero—. Iremos sin dar problemas. ¡Palabra de honor!

—Si tuvieseis honor, no estaríais robando estiércol —refunfuñó el agente Gordon—. Llévalos a la comisaría, Colín.

—¿Yo? Y tú, ¿qué? —se quejó el policía delgaducho.

—Yo arresto al caballo y a la carreta —Se volvió hacia el animal—: Bueno, ¿tengo que atizarte con la cachiporra o prefieres acompañarme sin oponer resistencia?

—Siiihiiihiii —contestó el caballo.

Se supone que era una broma. No fue graciosa, pero es que el agente Gordon era policía, no cómico. Tampoco era muy buen policía. Pero, créeme, él nunca le daría a un caballo con la cachiporra. Le daría con un cacho perro. ¡Ja! ¡Un cacho-perro! ¿Lo pillas? Quizá no. Es otra broma. Incluso peor que la del agente Gordon, sostendrán algunos.

Empezaron a subir la cuesta que llevaba
a la comisaría. La muchacha trotaba al lado. Estaba
fuera de peligro. Las sombras no podrían atraparla
mientras estuviese junto a la policía de Winrich.
El agente Gordon sostenía la porra negra de madera
entre sus gruesos dedos. La muchacha sonrió.

—¿Qué han hecho los basureros? —preguntó.

—Robaron estiércol —respondió Gordon al tiempo
que forcejeaba con el caballo para que subiese la colina.

—Pero su trabajo es vaciar las letrinas. ¿Cómo iban
a robar algo que no vale nada?

—Lo venden a los granjeros. Los granjeros lo emplean
como abono. Es un buen negocio en la primavera, ¿sabes?
Y la primavera no está lejos. Los verdaderos basureros
están muy molestos con estos dos por haberles birlado
la caca. Pero hemos acabado con el delito y hemos
pillado a los ladrones con las manos en la masa.

—¿En la masa? —preguntó la muchacha, recordando
la maloliente carga de la carreta.

—Ya sabes lo que quiero decir —respondió
el agente Gordon.

Para entonces, el grupo ya había doblado la esquina
que daba a la calle Mayor. La comisaría estaba unos

cien metros a la izquierda. Había un farol de gas en una mampara de cristal azul con la palabra «Policía» pintada de blanco.

La muchacha se volvió y miró cuesta abajo. Los faroles creaban collares de luz que se confundían con las luces de los astilleros del río. El horno de la fábrica de cristal teñía las nubes bajas de rojo oscuro. En medio del camino del Mar había un chico mirándola. Había salido de las sombras. Derrotado.

La delgada muchacha sonrió con una sonrisa muy fina. «¡Síii!», dijo entre dientes. Miró la casa enorme que había al lado de la comisaría.

El viejo letrero se mantenía sobre la puerta.

Entraría por la puerta principal, caminaría diez pasos por el jardín, pasaría ante el árbol marchito y entraría en la escuela. Y entonces, estaría a salvo. Habría ganado.

Se volvió hacia los policías.

—¡Buenas noches, agentes! —gritó con alegría.

—¡Buenas noches! —contestaron los policías.

El más bajito de los basureros impostores se volvió hacia ella.

—¿No conocerás a alguien que quiera comprar este montón de estiércol, verdad? —La muchacha negó con la cabeza—. Es que no me gustaría que se eche a perder. —El hombre suspiró y caminó desanimado bajo la luz azul y entró en la comisaría.

La muchacha echó otra mirada por encima del hombro. El chico estaba ahí, desvalido, en la esquina del camino del Mar y la calle Mayor. Ella se limitó a dibujar en el aire un saludo cruel con los dedos.

El reloj del ayuntamiento comenzó a dar las campanadas de medianoche. «Din, don, din, don, din, don, din, don. ¡Donnnnn! ¡Donnnnn! ¡Donnnnn!».

Pasó entre los pilares de la Academia de Truhanes del Profesor Randa… «¡Donnnnn!»… y ocurrieron dos

cosas. Se preguntó qué había pasado con el cómplice del muchacho. «¡Donnnnn!». ¿Y por qué no estaban los dos chicos en esa esquina?

Entonces, un saco enorme y áspero le cubrió la cabeza.

«¡Donnnnn!». Respiró para gritar y el polvo del saco la atragantó. «¡Donnnnn!». Antes de que pudiese soltar un alarido, una mano poderosa le tapó la boca y apretó el áspero saco contra su cara. «¡Donnnnn!». Intentó resistirse, pero sabía que era inútil.

El polvo del saco se empapó con sus lágrimas.

«¡Donnnnn!».

No eran lágrimas de miedo ni de tristeza. Eran de rabia. Rabia de saber que habían conseguido el saco en la tienda de cabezas de cordero del callejón del Rastro… Lo notaba por el olor.

«¡Donnnnn!». Y rabia, sobre todo, de saber que la habían engañado. «¡Donnnnn!». Era muy mala perdedora.

«¡Donnnnn!».

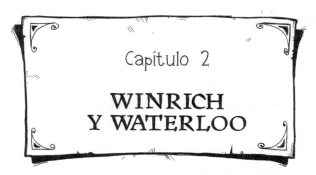

Capítulo 2

WINRICH
Y WATERLOO

Martes, 13 de marzo de 1837

El cartel tuvo que imprimirse a toda prisa y la tinta
se había corrido un poco. Pero la gente de Winrich
estaba apiñada a su alrededor.

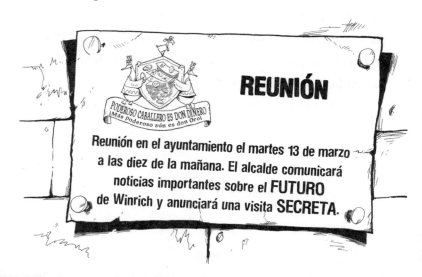

PODEROSO CABALLERO ES DON DINERO
¡Más poderoso aún es don Oro!

REUNIÓN

Reunión en el ayuntamiento el martes 13 de marzo
a las diez de la mañana. El alcalde comunicará
noticias importantes sobre el **FUTURO**
de Winrich y anunciará una visita **SECRETA**.

El mendigo (que normalmente se sentaba en una de las esquinas de más tráfico de la calle Mayor) suspiró y dijo:

—Seguro que no son buenas noticias para nosotros.

La dueña de la sombrerería lo observó con un ligero aire de sospecha.

—¿Cómo es que puedes leer el cartel? Se supone que eres ciego. Por eso te doy monedas para que des de comer a ese pobre perro que te hace de lazarillo… ¡Ese que siempre mueve el rabo!

—Bueno, es que hoy tengo un buen día —explicó sin ganas el mendigo—. En los buenos días puedo ver bastante bien.

—¡Oh! Espero que uses el dinero que te doy para comprar comida a ese pobre perrito —insistió la mujer.

—Con ese dinero compro los mejores cortes disponibles en la carnicería y luego cocino la carne hasta que está en su punto —aseguró el mendigo relamiéndose.

—¿Es la comida que le gusta a tu pequeñito *guau guau?*

—No tengo ni idea, pero a mí sí.

—¿A ti?

—Sí, yo me como la carne.

—¿Y qué come ese perrito que siempre está alegre?

—Nada. Si es un perro de juguete —dijo
el mendigo, y lo levantó para que la sombrerera
lo examinara. Los ojos eran botones negros, como
las ventanas de una casa vacía, que miraban fijamente
a la mujer. La nariz, oscura y brillante, era de madera
pintada. La bonita lengua roja era de trapo y los
dientes habían pertenecido a un dinosaurio.

*No hay nada de qué preocuparse. El dinosaurio estaba
muerto y ya no necesitaba los dientes. El mendigo ciego los vio
en un museo y se los llevó para su perro lazarillo de juguete.
Era un dinosaurio muy pequeño y los dientes estaban un poco
grises. Su perro obtuvo una sonrisa preciosa. Gris, pero preciosa.*

La sombrerera meneó la cabeza y su enorme
sombrero se movió como el rabo de un perro.

—¡Y yo que pensaba que el perrito movía el rabo
cada vez que me veía!

—Eso es por el trozo de cordel que llevo atado
a la oreja —explicó el mendigo—. Cuando muevo
la oreja, muevo su rabo. Eso sí, mis orejas se movían
porque me alegraba al verte.

—¡Porque admiras mi lindo rostro y mi cabello
dorado! —sugirió ella.

—No. Porque siempre echas alguna moneda a la gorra.

Lo que quiso decir nuestro amigo invidente, a todas vistas, era: «Porque eres más tonta que un cubo sin asa». Y lo era. Ni siquiera a ti te habría engañado el perro que movía la cola. Las ruedas rojas que llevaba en las patas lo delataban.

—Bueno —el mendigo alzó la vista—, si no estuviese ciego diría que el reloj del ayuntamiento está a punto de dar las diez y que la reunión ya va a comenzar. Mejor vamos entrando.

Dejó al perro en el suelo, a su lado, sobre las ruedas. Tiró del cordel con una mano mientras jugueteaba con un palo blanco en la otra. El reloj comenzó a sonar. «Din, don…».

Oh, seguro que ya sabes el resto. Basta con que termines la escena en tu cabeza. Dieron diez campanadas… Si no se te da muy bien contar, usa un dedo por campanada. A no ser que seas una lombriz, y en ese caso tienes un problema, o un ciempiés, y ahí sí que tu problema es muchísimo más grave.

El mendigo y la sombrerera entraron en el ayuntamiento. El alcalde Twister estaba muy orgulloso

de su ayuntamiento. Tenía cierto parecido con un templo griego… y cuando el alcalde se miraba al espejo, veía a un verdadero dios del Olimpo. Como sabes, no tenemos noticias de muchos dioses griegos con gafas de montura dorada o elegantes trajes negros. Y tampoco llevaban barbas cortas y bien cuidadas. Pero el alcalde Twister no veía lo que parecía ver el resto del mundo: un hombre más alto que un gnomo… Por muy poco.

Cuando nos miramos al espejo, ninguno de nosotros ve lo mismo que el resto del mundo.

El templo de Twister no estaba mal. Unas columnas altas y doradas sostenían un techo en el que había un gran fresco de dioses que disfrutaban de un *picnic* con un montón de fruta colorida. En uno de los extremos del salón había un estrado desde el que la gente pronunciaba discursos. Era un estrado bastante alto porque, como sabes, Oswald Twister era muy bajito.

Los «din, don» habían terminado de *dindonear,* pero el alcalde seguía sin aparecer. Le gustaba hacer esperar a la gente. Le gustaba que todo el mundo estuviese ya en su sitio para que él y su esposa hiciesen una entrada

espectacular. Detestaba que alguien llegase después de esa entrada espectacular.

Tras la elegante puerta de roble, practicó su discurso una vez más.

—*Memo morible* —dijo—. *¿Memo morible?*

«Din, don… Din, don…».

Las campanadas sonaban en la Academia de Truhanes del Profesor Randa. El revuelo de los estudiantes no les dejaba oír las campanadas.

Al frente de la clase estaba Samuel Skill, el profesor, que sí notó el sonido del reloj. Sus ojos verdes como uvas parecían resplandecer. Los dedos se movían como gotas de lluvia en la ventana al hablar. Cuando sonreía, sus dientes de marfil relucían bajo un bigote fino y oscuro.

Esa mañana sus pupilos parecían malhumorados y enfadados. El señor Skill estaba satisfecho. Estos chicos sentían verdadera pasión por sus deberes. Cuando les salían mal, redoblaban sus esfuerzos. La próxima vez aprobarían el examen.

—Ahora, jóvenes, tengo que irme a la reunión del ayuntamiento —anunció el profesor.

—¿Se trata de nuestro próximo golpe, señor Skill? —preguntó un muchacho que tenía el pelo tan alborotado como un diente de león, y tan oscuro como la bodega de un barco carbonero.

—Quizá, Smiff. Creo que se va a cometer una terrible injusticia contra la gente de Winrich —dijo el profesor.

—Y, si hay una injusticia, combatirla es el deber del profesor Randa —intervino una muchacha feúcha como un saco de harina.

—Cierto, Nancy.

Nancy era corpulenta y tenía una cara amable. Muy distinta a lo que esperarías encontrarte en una escuela de truhanes.

—¡Oooooh! —dijo con sorna una muchacha delgada, de pelo rubio y rizado y de expresión tan feroz como la de un lobo—. Cierto, Nancy. Muy bien, Nancy. ¡Nancy, la niña mimada del profesor!

—Ya sé que estás enfurruñada, Alice —dijo el señor Skill con severidad—. Pero en la Academia de Truhanes del Profesor Randa no nos metemos con nuestros amigos.

—¡Ja! ¿Según quién? —Alice resopló.

El señor Skill fue hasta la pared y señaló una hoja de papel clavada en la pared.

—Regla diez, Alice... La regla más importante de todas.

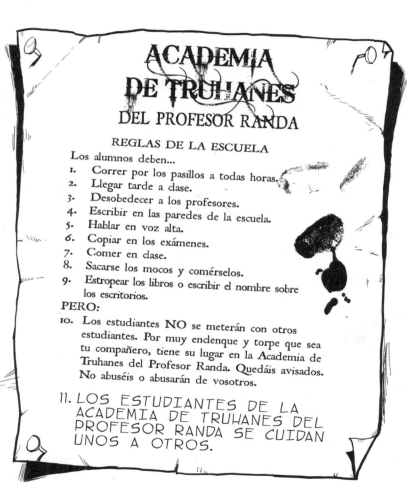

ACADEMIA DE TRUHANES
DEL PROFESOR RANDA

REGLAS DE LA ESCUELA

Los alumnos deben...

1. Correr por los pasillos a todas horas.
2. Llegar tarde a clase.
3. Desobedecer a los profesores.
4. Escribir en las paredes de la escuela.
5. Hablar en voz alta.
6. Copiar en los exámenes.
7. Comer en clase.
8. Sacarse los mocos y comérselos.
9. Estropear los libros o escribir el nombre sobre los escritorios.

PERO:

10. Los estudiantes **NO** se meterán con otros estudiantes. Por muy endenque y torpe que sea tu compañero, tiene su lugar en la Academia de Truhanes del Profesor Randa. Quedáis avisados. No abuséis o abusarán de vosotros.

11. LOS ESTUDIANTES DE LA ACADEMIA DE TRUHANES DEL PROFESOR RANDA SE CUIDAN UNOS A OTROS.

Alice hizo un mohín.

—Si es la regla más importante, ¿por qué es casi la última? ¿Eh?

El señor Skill no le hizo caso.

—Mientras estoy fuera, os dejaré en las manos de la mayor experta en secuestros del país.

De repente, los estudiantes fueron todo oídos. Tener un profesor invitado incrementaba su interés.

El señor Skill se acercó a la puerta y la abrió.

—¡Adelante, señorita Friday!

Una mujer bajita y rechoncha entró balanceándose. Su cara parecía una manzana brillante.

Me refiero, por supuesto, a una manzana roja. Si dijeses: «¡Ooooh! Una cara que parece una manzana verde», estarías haciendo el tonto, el absoluto ganso. Para de una vez. Intento contar una historia y no necesito listillos como tú haciendo comentarios estúpidos. Bueno, ¿puedo seguir? Gracias.

El señor Skill consultó el reloj y continuó hablando.

—Lo siento, señorita Friday, no tengo tiempo para presentarla. Debo irme ya a la reunión.

—No se preocupe, señor Skill. Deje a sus estudiantes conmigo —dijo la mujer. Hablaba como si viniese del

sur del país. Tenía ese inconfundible acento de las oscuras y deprimentes calles de Londres.

Skill hizo una pequeña reverencia, se puso los guantes y se pasó por el cuello una bufanda a rayas rojas y blancas. Se marchó.

La señorita Friday miró alrededor de la habitación.

—Qué bonito lugar tenéis aquí —dijo.

Tenía razón. El techo era alto y estaba decorado con ángeles de yeso. Desde las amplias ventanas se alcanzaban a ver el río y las colinas del norte.

La Academia de Truhanes del Profesor Randa estaba situada en una casa que había pertenecido a una familia muy influyente. Pero, a medida que surgían los astilleros y las chabolas empezaron a proliferar a lo largo de la ribera del río, los ricos se marcharon. Al irse, se salvaron de pillar una terrible enfermedad llamada cólera, que sobrevino en 1831.

No alcanzas ni a imaginarte la tragedia del cólera. Probablemente ignores que se contagiaba a través del agua sucia, que las víctimas enfermaban hasta volverse azules y morir, que la gente que las cuidaba también moría...

El profesor Randa había decidido instalar su centro de aprendizaje en la casa.

Había abierto la Academia de Truhanes tan solo dos meses atrás, en enero de 1837.

—Me llamo Ruby Friday —se presentó la mujer—. Decidme quiénes sois.

Los estudiantes también se presentaron.

Había cinco en total. Además de la corpulenta Nancy, el despeinado Smiff y la malencarada Alice, había unos gemelos flacuchos: los hermanos Mixly: Martin y Millie Mixly.

La señorita Friday los miró con atención.

—Vaya, los Mixly. Suena a los hermanos «mixtos». ¿Os *mexclan* a veces? —se rio la mujer.

—No —soltó Alice—. Martin es el chico de pelo corto y Millie la chica de pelo largo rizado. Eso es obvio hasta para alguien que tenga la mitad del cerebro de un mosquito.

Los ojos de Ruby Friday centellearon. La maestra sonrió con delicadeza y repuso:

—¡Vaya, vaya, Alice! No estamos de muy buen humor esta mañana. Será por lo que pasó anoche, ¿verdad?

Alice no tenía ganas de comentar lo ocurrido la noche anterior y decidió cambiar de tema.

—Vamos a ver, ¿por qué eres la experta más grande de todo el país en secuestros? —preguntó.

Ruby Friday se sentó ante su escritorio.

—Allá por 1815, Gran Bretaña estaba en guerra con Francia.

—Entérate, esto es una academia de truhanes —la interrumpió Alice, arisca—. No una de historia.

—Creo que todos necesitamos lecciones de historia, Alice —replicó enseguida Ruby Friday—. Aprendemos del pasado… de nuestros errores. ¿Nunca has cometido un error, Alice?

Alice mantuvo la boca bien cerrada, como si fuese una trampa para ratones. Smiff sonrió con suficiencia.

—Adelante, señorita Friday —la animó el chico.

—Gran Bretaña se enfrentaba al poderoso emperador Napoleón —continuó la nueva

profesora—. El ejército francés se enfrentó al británico en un pueblo llamado Waterloo y todos sabíamos quién iba a ganar.

—¡Los británicos! —interrumpió Martin Mixly con su vocecilla aflautada.

—No. ¡Los franceses! —corrigió Ruby Friday—. Nadie podía vencer al emperador Napoleón y a su poderoso ejército francés.

—¡Pero nosotros lo hicimos! —gritó Millie.

—El general británico, el duque de Wellington —dijo la profesora alzando un dedo—, mandó a buscarme. ¡Yo era la única esperanza del ejército británico!

—Pensé que eras una secuestradora —refunfuñó Alice—. ¿Ahora nos vas a decir que eres una generala?

Una vez más, la señorita Friday levantó el dedo.

—Fui a París. Secuestré a la mujer de Napoleón, la emperatriz Josefina. —Los estudiantes se quedaron con la boca abierta—. Enviamos a Napoleón un breve mensaje la noche anterior a la batalla de Waterloo. «Pierde la batalla… ¡o perderás a la emperatriz!».

—¡Y perdió la batalla para salvar a Josefina! —gritó Millie Mixly—. Qué romántico. ¡Ahhhh!

—¿Lo veis? No solo se secuestra por dinero —dijo Ruby Friday—. Un buen secuestro puede cambiar la historia del mundo. Y ese es nuestro plan, ¿verdad?

Los cinco estudiantes del profesor Randa asintieron… Incluso Alice le dio la razón.

El duque de Wellington llegó a ser primer ministro de Gran Bretaña. Y también llegó a ser uno de los hombres más odiados del país porque le encantaba maltratar a los pobres. Oh, sí, ganó la batalla de Waterloo, por supuesto. Pero nunca le contó a nadie la historia de Ruby Friday y el secuestro de Josefina. El viejo Welli se sentía demasiado avergonzado de su jugarreta.

Capítulo 3

RUBY
Y EL RESCATE

—¡Amigos! —gritó el alcalde Oswald Twister.

El público alzó la vista para ver al orador de pie en el estrado de la gran sala del ayuntamiento.

Junto a él estaba lady Arabella Twister, vestida con sus sedas más elegantes. Había escogido el color rosa para que hiciese juego con su nariz. Lady Arabella siempre escribía los discursos de su marido.

—Amigos, paisanos, convecinos —continuó el alcalde—. Hoy es un día *memo morible* para Winrich.

—¿Qué? —La multitud se quedó con la boca abierta.

—Memorable —susurró Arabella—. Se dice memorable.

—Hoy es un día *memoria bilísimo*.

—Es un día que nunca olvidaremos —dijo la enorme mujer suspirando.

—Hoy es un día que no tardaremos en olvidar —gritó Oswald.

El alcalde se aclaró la garganta. Ahora que había comenzado, todo era más fácil… De hecho, a veces era difícil pararlo. Pero la puerta trasera se abrió y entró en la sala un hombre que llevaba una bufanda a rayas rojas y blancas. Tarde. El alcalde Twister le lanzó una mirada envenenada.

—¿Por qué es un día memorable? —preguntó el mendigo ciego.

—¡Sí! Sigue, bufón —gritó el recién llegado desde la parte de atrás. Era Samuel Skill, el profesor de la Academia de Truhanes del Profesor Randa.

Pero ya lo habías adivinado gracias a su bufanda a rayas rojas y blancas, ¿verdad? Tienes una mente afiladísima. ¡Cuidado!, porque si se te sale del cerebro podrías cortarte.

—El año pasado —continuó el alcalde— el ayuntamiento de Winrich recaudó mil trescientas

libras para construir un hospicio para el pueblo. Como sabéis, es ese estupendo edificio de piedra que queda al norte del puente.

—Sí, bien lejos de tu casa pija al sur —abucheó el señor Skill. El alcalde hizo como que no escuchaba.

—El mes pasado, lady Arabella Twister, mi esposa…

—Mi adorable esposa —susurró la alcaldesa—. Lee lo que escribí —ordenó y se sentó.

—… mi adorable esposa, pasó a ser directora general de hospicios. Esta tarde el hospicio abrirá sus puertas por primera vez.

Oswald dejó el discurso sobre la mesa y escudriñó a la multitud curiosa. Alzó la voz:

—¡Ya hay un lugar donde encerrar a los pobres de Winrich, todos fuera de nuestra vista, para que no tengamos que soportar sus desconsideradas súplicas, sus quejas y su apestoso olor! No tendremos que aguantar nunca más el nauseabundo olor de sus ropas sucias y sus botas roñosas; la vergüenza de esos pantalones rotos y esas comidas sin carne; sus detestables bebés gritones y sus niños descalzos,

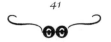

temblorosos, incultos e inútiles; sus lamentables vejetes frioleros que no conservan ni los dientes, y los vagos y haraganes que duermen como bestias en sacos de dormir hasta la hora de salir para robar a los ricos el oro que tanto nos costó ganar. Y no sé vosotros, pero yo ya estoy harto del comportamiento de esa gentuza desalmada. Absolutamente harto. Y eso no es todo…

Arabella se levantó rápidamente, como un globo de aire caliente recién inflado.

—Lo que mi marido quiere decir —bramó por encima de él— es que Winrich ya tiene un lugar en el que cuidaremos a los pobres, los enfermos y los ancianos. Queremos asegurarnos de que hay trabajo para todo el mundo, y habrá muchísimo trabajo en el hospicio.

—Sí, qué tal si mejor lo llamamos el Hospicio de los Trabajos Forzados —se rio el alborotador Skill.

—Nuestro nuevo hospicio —dijo el alcalde Twister, levantándose de un salto— tendrá dos supervisores, don Humilde y su mujer, doña Humilde. Una pareja amable, buena, estaríais de acuerdo en que ambos son buenísimos… claro,

si los conocieseis… que espero que no… porque si los conocéis significaría que os han encerrado en el hospicio… ¡y eso no os va a gustar ni un poco! Aunque supongo, claro, que podríais ir al hospicio de visita, en cuyo caso no os van a encerrar… y si vais de visita podríais conocer a los Humilde… y veríais qué buenos son. Me alegro de haberlo dejado tan claro.

Lo dije antes. Era muy difícil parar al alcalde cuando empezaba a hablar. Era algo así como un grifo que gotea. ¿Alguna vez ha goteado un grifo en tu casa? La experiencia del grifo goteador puede volver loco a cualquiera. Cuanto más deseas que se se detenga, más molesta. A veces es posible arreglar un grifo que gotea con un martillazo contundente. Quizás esa también era la mejor forma de arreglar al alcalde Twister.

Arabella posó la mano en el hombro de su marido y lo invitó a sentarse. Sonrió con sus grandes labios rosados ante el nervioso público.

—Lo que Oswald quiere decir es que los pobres ya no tienen excusa para amontonarse en las calles de Winrich y darle un aspecto desaseado. Y los mendigos

dejarán de incomodar a los ricos al extender sus zarpas y garras mugrientas. Ahora tienen un lugar al cual ir.

El mendigo ciego suspiró y miró fijamente a su perro.

—Lo sabía. Te dije que serían malas noticias para nosotros, ¿no te lo dije? —el perro no respondió.

—Por supuesto, nadie será obligado a ir al hospicio —continuó la mujer del alcalde.

—¿Puedo llevarme a mi perro? —preguntó el mendigo.

—No, claro que no puedes.

—Pues no voy —sentenció el mendigo y se encogió de hombros.

La cara de Arabella se puso aún más rosa.

—No hay problema, porque te obligaremos a ir.

—¿Me obligaréis a ir a ese hospicio al que nadie está obligado a ir?

—¡Ni mi marido lo habría dicho mejor! —dijo la mujer con una sonrisa siniestra.

Después, Arabella Twister cogió un cartel de la mesa y lo desenrolló.

HOSPICIO HOSPITALARIO
DA LA BIENVENIDA

A LOS POBRES Y NECESITADOS, A LOS ENFERMOS Y LOS ANCIANOS

¿ERES HOMBRE y NO TIENES TRABAJO?

VEN AL HH Y TENDRÁS LAS MANOS LLENAS.

¿ERES MUJER Y TE CUESTA ALIMENTAR Y VESTIR A TU FAMILIA?

¡TRÁELA AL HH Y SEGURO QUE TENDRÉIS TANTO TRABAJO QUE PODRÉIS COMER! ¡Y SE ACABAN LAS PREOCUPACIONES POR LA ROPA! ¡OS DAREMOS UNIFORMES!

¡Incluso permitimos que las madres vean a sus hijos una hora cada domingo! ¿Eres un pobre huérfano sin lugar adonde ir? ¿Necesitas una buena comida? ¡Ven al HH y trabaja para conseguirla! No te garantizamos la mejor comida de tu vida... pero sí que será mejor que morir de hambre.

ANTES   DESPUÉS

INSCRIPCIONES EN: HOSPICIO HOSPITALARIO, CALLE DEL PUENTE NORTE, WINRICH.

Lady Arabella susurró algo a sir Oswald, que salió disparado hacia una puerta lateral. Después, hizo una señal a dos policías para que entrasen.

—Aquí está nuestro excelente cuerpo de policía —sonrió la mujer.

Los dos hombres se pusieron en fila. Doblaron las rodillas y se inclinaron.

—Buenas noches a todos —dijeron al tiempo.

Era por la mañana. Tú lo sabes. Yo lo sé. Los policías lo sabían. Pero no habían practicado la frase «buenos días a todos», así que no querían equivocarse y quedar como tontos. Decidieron saludar con su «buenas noches a todos» por la mañana… Quedaron como tontos.

El alcalde Twister volvió al estrado de un salto.

—¡Anoche, estos valientes evitaron otro delito! ¡Arrestaron a los basureros ladrones y a su caballo, que ya pueden ir haciéndose a la idea de pasar el resto de su vida en la prisión Darlham!

—Ejem… —el agente Gordon se adelantó—. Lo siento, sir Oswald, pero acabamos de llegar

del tribunal. El juicio ha terminado. Una muchacha se presentó como testigo. Dijo que los basureros reales pasaban la noche entera en la taberna antes de limpiar las letrinas. También opinó que los basureros ladrones hacían mucho mejor el trabajo. El juez los ha condenado a limpiar las letrinas del nuevo hospicio durante un mes sin cobrar. Dijo que el agente Colín y yo deberíamos dedicarnos a cosas más importantes que atrapar un par de ladrones de caca.

La cara de Twister se retorció como si hubiese mordido un gusano. Al fin, logró sonreír.

—Muy bien… ¡y lo haréis! Tenéis una nueva tarea. Vuestro trabajo será limpiar las calles de Winrich…

—¿Tenemos que comprarnos cepillos? —preguntó el agente Colín.

—Limpiarlas de pobres, mendigos, huérfanos, vagabundos y viejos. Vais a dejar este pueblo reluciente —dijo el alcalde.

—Pero ¿tenemos que comprarnos cepillos?

—No, pedazo de idiota. —El alcalde Twister puso los ojos en blanco—. Lo que os pido es que os llevéis a toda esa espantosa gente y la encerréis en el hospicio.

Nada de juicios ni jueces. Simplemente, apartad a la chusma de nuestra vista.

—¿Sin cepillos?

—Sin cepillos.

—Qué bien.

—¿Por qué?

—Porque no tengo.

La señora Twister se adelantó de nuevo y mandó a los policías a la parte trasera del estrado.

—Necesitamos que las calles estén bien limpias porque antes de que acabe la semana Winrich recibirá al visitante más importante de su gloriosa historia.

—¿Quién es? —gritó Samuel Skill.

—¡Alguien tan importante que ha de permanecer en secreto! —dijo Arabella con una sonrisa petulante.

—¿El rey? —gritó una mujer que tenía un paraguas y un ojo de cristal.

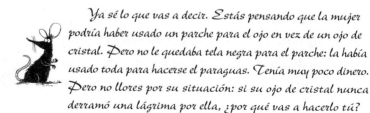

Ya sé lo que vas a decir. Estás pensando que la mujer podría haber usado un parche para el ojo en vez de un ojo de cristal. Pero no le quedaba tela negra para el parche: la había usado toda para hacerse el paraguas. Tenía muy poco dinero. Pero no llores por su situación: si su ojo de cristal nunca derramó una lágrima por ella, ¿por qué vas a hacerlo tú?

—¡Qué tontería! El rey Guillermo está demasiado enfermo para salir de Londres.

—Oh, bueno, si no es el rey no sacaré las banderas —suspiró la mujer.

—Es una visita privada… Organizada por sir Oswald y por mí en persona —dijo lady Twister—. Nuestro huésped recorrerá las calles y no queremos que las vea llenas de mendigos.

—Qué malas noticias —se quejó el mendigo ciego.

Samuel Skill se retorció el bigote rizado.

—Es una excelente oportunidad para que alguien se divierta un poco —dijo riéndose. Se rio todo el camino hasta llegar a la Academia de Truhanes del Profesor Randa.

Ruby Friday miró a sus estudiantes.

—Bueno, ayer el señor Skill os puso deberes. Contadme qué tal os fue.

—Señorita —dijo Millie Mixly levantando su pálida mano—, nos puso esta tarea: Alice tenía que caminar desde los astilleros del río y subir por la colina hasta la Academia de Truhanes del Profesor Randa. Dos de nosotros teníamos que secuestrarla antes de que llegara

aquí… pero Alice no sabía quiénes serían los secuestradores.

Alice le lanzó una mirada desafiante.

—Era fácil adivinar que serían el tramposo Smiff y la fortachona Nancy Nabo.

Ruby asintió.

—Pero a todos os salió muy mal, ¿verdad, Smiff?

—¡No! —gritó el muchacho despeinado—. ¡Claro que no! Alice perdió. ¡La atrapamos!

—Hiciste trampa —soltó Alice.

—Mira las reglas de la escuela —se defendió Smiff, alzando la cabeza—. Podemos hacer trampas en los exámenes. Aunque prefiero decir que teníamos un plan inteligente y funcionó a la perfección.

—Cuéntame tu plan —dijo Ruby en voz baja.

—Me escondí —comenzó a relatar Smiff— en la esquina de las Residencias Cuchitril. Desde ahí se pueden ver todas las calles que van a los astilleros. Solo tenía que esperar a Alice y seguirla.

—Y yo te vi, inútil. —Alice infló las mejillas e imitó el gruñido de un cerdo—. No sabrías esconderte de un ciego. Intentaste ocultarte en las sombras, pero te vi.

—Ese era el plan. —Smiff sonrió con suficiencia.

—¿Qué?

—El plan era que me vieses. Intentaste perderme por los callejones. Entonces te encontraste con los basureros. Los policías los arrestaron y fuiste con ellos hasta las puertas de la Academia de Truhanes. Pensaste que estabas a salvo porque podías verme.

—Claro que lo estaba —lo contradijo Alice.

—Pero Nancy estaba agazapada tras la entrada de la Academia de Truhanes. ¡Y te atrapó!

—Sí, con un saco apestoso de la tienda de cabezas de cordero. Se lo podía haber ahorrado —se quejó Alice—. Tuve que lavarme el pelo para quitarme el olor.

—Una vez al año no hace daño —se burló Smiff.

Alice cerró los puños y se levantó a medias. Ruby Friday habló para calmar los ánimos:

—Pero suspendiste, Smiff.

—¿De verdad? —dijo Alice, sin creer las buenas noticias.

—No suspendí… —Smiff parpadeó—. Eh… ¿O sí? ¿Suspendí?

—¡Sí! Alice te vio.

—¡Era parte del plan! Estaba tan pendiente de mí que no llegó a ver a Nancy.

—Si vuestra maniobra hubiese sido un secuestro de verdad —dijo la vieja profesora—, ¿qué habríais hecho a continuación?

—¡Con permiso, señorita! —intervino Martin Mixly—. Escribir una nota de rescate y enviarla a una persona rica. Practicamos ayer en clase.

El chico le enseñó un papel a Ruby Friday.

QUERIDO PROFESOR RANDA:

SU ALUMNA ALICE WHITE ES NUESTRA PRISIONERA. NO LE HAREMOS DAÑO SI NOS PAGA CINCUENTA LIBRAS DE ORO.

PONGA EL ORO EN UN SACO Y DÉJELO TRAS EL ROBLE DONDE EL CAMINO MAYOR DEL NORTE CRUZA LA LÍNEA DE FERROCARRIL DE WINRICH.

SI NO LO HACE, NO LE DIRÉ QUÉ LE HAREMOS A ALICE. EL CASTIGO SERÁ TAN HORRIBLE, QUE LE ASEGURO QUE NO QUIERE SABERLO, ASÍ QUE NO SE LO DIRÉ. DEJE EL ORO O YA VERÁ.

UN AMIGO

—La nota —explicó Millie Mixly— dice qué queremos a cambio de la víctima. Recogemos el rescate y… ¡somos ricos!

—Supón que estos secuestradores te venden al profesor Randa por cincuenta libras… —dijo Ruby Friday mirando a Alice.

—Serían completamente idiotas, yo valgo por lo menos cien —refunfuñó Alice.

—Muy bien, que sean cien libras —dijo la señorita Friday con tranquilidad—. Ellos reciben su dinero. Te dejan libre. ¿Qué harías a continuación, Alice?

—¡Vengarme de Smiff! —respondió Alice con una sonrisa feroz.

—¿Cómo sabrías que Smiff tenía la culpa?

—¡Porque lo vi! —frunció el ceño Alice.

—¡Exactamente! —asintió Ruby Friday—.Un secuestrador no debe permitir que su víctima le vea la cara! —Se volvió a Smiff—. Alice te vio. Se lo habría contado a la policía. La policía te habría arrestado y pasarías el resto de tu vida en la prisión Darlham… Eso si no te ahorcan antes.

Alice sonreía con dulzura.

Bueno, con la dulzura de un bull terrier furioso… Ese tipo de sonrisa que tiene un perro guardián cuando ve la pierna de un ladrón colándose por la ventana. Una sonrisa dulce… pero no muy amable.

—¡Sí! Iría a visitarte, Smiffy. ¡Je, je! ¡Pringadete!

—Si vinieses de visita, les suplicaría que me ahorcasen —susurró Smiff.

Ruby Friday dio unas palmadas.

—¡Así que esa es la primera regla del buen secuestrador! Tenemos que practicar el arte del disfraz y el camuflaje.

Se abrió la puerta y entró el señor Skill.

—Lamento interrumpir, señorita Friday, pero es la hora de comer y tengo que hablar a los estudiantes de nuestra primera excursión escolar.

—¿Vamos a algún lugar bonito? —gritaron los gemelos Mixly.

—Según el alcalde, sí —se encogió de hombros el señor Skill.

—Pero el alcalde siempre miente —advirtió Nancy en voz baja—. El alcalde suelta mentiras enormes.

Ese día de marzo fue frío y lúgubre. Aunque no tan lúgubre como la lúgubre sala de la comisaría de Winrich. El inspector Bicher estaba en su escritorio y meneaba la cabeza. Hacía un gran esfuerzo, pues su cabeza era enorme y la tenía sobre un cuerpo incluso mayor. Probablemente no tan ancho como el de un rinoceronte ni tan pesado como el de un hipopótamo, pero no te gustaría tropezarte con él cuando vas corriendo a pillar el autobús… o cuando pillas un resfriado… o lo que sea que pilles.

—No ha sido un buen día para la policía de Winrich —dijo Bicher con una voz atronadora que hizo temblar el farol del techo.

Los agentes Gordon y Colín también temblaron como faroles de techo. Retorcían sus sombreros con las manos y no levantaban la vista del suelo.

—Los basureros impostores quedaron en libertad —continuó el inspector.

—Y el caballo… —añadió Colín—. No nos permitieron meter al caballo en el tribunal. ¡Y eso que lo arrestamos según la ley y todo! ¡Mire! —Le mostró un papel al inspector.

El inspector Bicher negó con la cabeza.

—El alcalde Twister no está contento. De hecho, dice que le gustaría que pasaseis unos años en la prisión Darlham —advirtió a los agentes, ignorando por completo la denuncia que le habían mostrado.

CUERPO DE POLICÍA DE WINRICH

Denuncia

Agente/s responsable/s del arresto: Colin y Gordon

Fecha del arresto: 13 de marzo de 1837

Lugar del arresto: Calle Fulwell

Hora del arresto: 12.10 a.m.

Acusado: Caballo de tiro Edward (Ned)

Por el delito de: ayudar delictiviosamente al birlamiento de apestosa mugre

Firmado   AP Peter Colin (AP 02)

AP Frank Gordon (AP 01)

* *Nota: Nadie será detenido durante más de veinticuatro horas si no es acusado de un delito. Esta ley data de 1215.*

Notas: La ley data de 12.15, pero arrestamos al caballo cinco minutos antes, a las 12.10, así que no cuenta. Podemos arrestarlo por tanto tiempo como queramos, o hasta que se nos acabe el heno.

—¡No es culpa nuestra! —se quejó Gordon
y le tembló la barbilla como si estuviese a punto
de llorar—. Fue usted quien dio la orden.

En algún lugar entre tanta grasa, la boca
del inspector Bicher trató de fingir una sonrisa.

—Sí, fui yo, pero ¿qué le vamos a hacer? —Extendió
las manos, tan grandes como la pala de un basurero...
aunque más limpias—. La buena noticia es que ahora
tenéis la oportunidad de hacer feliz al alcalde Twister
y conservar vuestros trabajos. Todo lo que tenéis que hacer
es llenar el nuevo hospicio de la calle del Puente Norte.

—¿Cómo lo hacemos, señor? —asintieron los agentes.

—Cerca del río —explicó el inspector Bicher mientras
señalaba el mapa de Winrich que había en la pared— hay
un bloque de casas. Se llama Residencias Cuchitril.

—¡Oooooh! —jadeó Colín—. ¡Nunca vamos ahí! ¡Es muy
siniestro! Incluso en un día soleado está húmedo y a oscuras.

—Y apesta —añadió Gordon.

—Y ahí es donde hay cólera. Uno se vuelve azul,
¿sabes?, poco antes de morir —gimió Colín—. ¡No
quiero volverme azul!

—¡Y yo no quiero morir! —añadió su compañero.
Bicher los fulminó con la mirada.

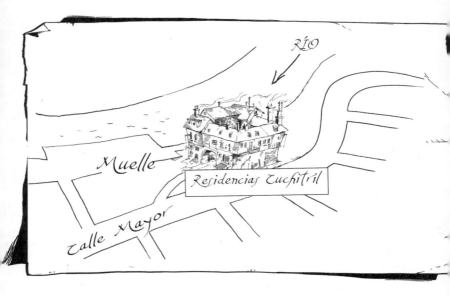

—Sois dos viejos guardias. Os dimos trabajo en el nuevo cuerpo de policía. Si os despedimos, os quedáis sin trabajo. ¿Y dónde acabaríais? En el hospicio. O llenáis el nuevo edificio con los apestosos pobres de Residencias Cuchitril o acabaréis allí con ellos.

—¡Oh, eso no suena mal! —se atrevió a alzar la vista Gordon—. ¡El alcalde Twister dijo que es un lugar estupendo!

Los ojos del inspector Bicher se hicieron fríos y duros como el invierno:

—El alcalde Twister miente.

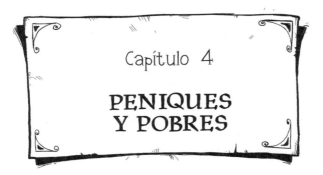

Capítulo 4

PENIQUES Y POBRES

El hospicio de Winrich era gris. Gris como una tumba. Muros de piedra gris, suelos de piedra gris, cristales con manchas grises que dejaban pasar la luz gris de un cielo gris.

Un hombre y una mujer miraban las largas filas de asientos vacíos en la gran sala y fantaseaban.

—Estos asientos estarán ocupados en poco tiempo, Ángela.

—Amelia.

—¿Qué? —preguntó el hombre, rascándose el pelo grasiento, oscuro, espeso y gris, casi pegado a unas cejas anchas que se encontraban en medio de la frente. Tenía los ojos muy juntos, la nariz demasiado pequeña y la

boca ancha en exceso. Una bocaza llena de dientes grises como tumbas. Quizá tuviese treinta años. Quizá tuviese treinta mil. Siempre resulta difícil adivinar la edad de alguien con cara de hombre de las cavernas.

—Mi nombre no es Ángela, es Amelia. Ya hablamos de eso.

—Se me olvidó, corazón mío —suspiró el hombre.

—Te olvidarías hasta de tu propio nombre si no lo llevases cosido en tu uniforme —sonrió la mujer, que tenía una sonrisa adorable: parecía un gorila que acaba de recibir un montón de plátanos. Su rostro era quizá más áspero que los muros del hospicio y estaba cubierto de cicatrices de viejas enfermedades, muchas de ellas sin nombre. Sus ojos vidriosos recordaban cuentas de plata y la nariz afilada era la viva y siniestra imagen de una daga.

—Don Humilde. Supervisor —dijo el hombre mirando la etiqueta.

—Eso es. Tú eres Harry Humilde y yo soy Amelia Humilde. Pero, siempre que estemos aquí, yo te llamaré don Humilde y tú me llamarás doña Humilde. ¿Comprendido, pichuelo mío?

—Sí, mi corazón.

—Bien… Henry, o sea, Harry, o sea, don Humilde…
¿Qué decías?

El hombre volvió a rascarse la oscura cabellera,
sacó un ser vivo del pelo, se lo metió en la boca
y masticó con sus dientes de tumba.

—Se me olvidó, corazón.

—Estabas diciendo que esta sala pronto estará llena
de pobres de Winrich.

—¡Eso mismo decía! —gritó—. Sí, eso… Y cuantos
más pobres tengamos aquí, más dinero recibiremos
—razonó en medio de una risa.

—Las cuentas salen estupendas. Nos pagarán seis
peniques por pobre —recordó la mujer—. Les
compramos comida a tres peniques al día y los tres
peniques que sobran van directos a nuestro bolsillo,
pichuelo mío.

—Veintiún peniques semanales por pobre. Cien
pobres y veintiún peniques a la semana… Eso son ciento
setenta y cinco chelines… Es decir, ochenta libras
y quince chelines semanales… ¡Todas las semanas!

Don Humilde garabateó algo en un papel
con un lápiz nuevo y afilado.

3 PENIQUES x 7 DÍAS = 21 PENIQUES

21 PENIQUES x 100 POBRES = 2100 PENIQUES

2100 PENIQUES DIVIDIDOS ENTRE 12 = 175 CHELINES

175 CHELINES DIVIDIDOS ENTRE 20 = 8 LIBRAS Y 15 CHELINES

TOTAL: 8 LIBRAS Y 15 CHELINES A LA SEMANA

TOTAL AL AÑO: 8 LIBRAS Y 15 CHELINES MULTIPLICADOS POR 52 = ¡UN MONTONAZO!

Como tanta gente avariciosa y malvada, este personaje no era precisamente inteligente. Pero, cuando se trataba de dinero, tenía un cerebro que parecía una de esas calculadoras modernas. Pero, créeme, en todo lo demás ese tal Harry Humilde era un absoluto estúpido.

—¡Antes del verano seremos los más ricos de Winrich! —alardeó doña Humilde.

—Habrá que cuidar a los pobres —advirtió él.

—¿Por qué, pichuelo mío?

—Bueno… Si uno se muere, perdemos…

3 PENIQUES x 7 DÍAS = 21 PENIQUES

21 PENIQUES x 52 SEMANAS = 1092 PENIQUES

1092 PENIQUES DIVIDIDOS ENTRE 12 = 91 CHELINES

91 CHELINES DIVIDIDOS ENTRE 20 = 4 LIBRAS Y 11 CHELINES

—Ahí lo tienes, Ángela…

—Amelia o doña Humilde, pichuelo.

—Ahí lo tienes, doña Humilde. Si un pobre se muere, ¡perdemos cuatro libras y once chelines al año!

—No tiene que ser así. —Los ojos plateados de la mujer resplandecieron—. Si un pobre se muere, seguimos recibiendo seis peniques al día. Pero dejamos de pagar los tres peniques de la comida… Los pobretones, como sabe todo el mundo, comen menos al morir. ¡Je, je! ¡Je, je!

—Oh, eres muy graciosa, doña Humilde.

—En vez de perder cuatro libras y once chelines, ganamos otras cuatro libras y once chelines. Un pobretón muerto nos hace ganar nueve libras y dos chelines al año.

—Ah, sí, corazón mío, pero tenemos que pagar un funeral. Puede costar hasta una libra… Con esos precios me quiero morir —se quejó el hombre.

—No, no, no. Nada de funerales —negó despacio con la cabeza doña Humilde—. Estamos cerca del puente. Envolvemos al muertito en una sábana y le añadimos algunas piedras al bulto. Cuando todos duerman, salimos a dar un paseo y tiramos el cuerpo al río desde el puente. Nadie lo notará.

—Qué bien —dijo el hombre—. Haces que quiera comerme a besos esa naricita tuya tan lista.

—Y lo harás, corazón, cuando hayamos acabado con el menú de la semana. El alcalde Twister y su visita importante quieren verlo. Veamos, ya casi está.

Escribió las últimas comidas y miró su trabajo.

HOSPICIO HOSPITALARIO
MENÚ

	MENÚ GENERAL								MENÚ PARA ENFERMOS Y ANCIANOS								
	Desayuno		Comida				Cena		Desayuno		Comida				Cena		
	Pan (gr.)	Gachas (ml.)	Ternera (gr.)	Sopa (ml.)	Pudín de sebo (gr.)	Patatas (gr.)	Queso (gr.)	Caldo (ml.)	Pan (gr.)	Gachas (ml.)	Ternera o vaca (gr.)	Patatas (gr.)	Sopa (ml.)	Pudín de arroz (gr.)	Hombres Queso (gr.)	Hombres y Mujeres Caldo (ml.)	Mujeres
LUNES	400	700	140	~	~	450	~	400	285	700	140	450	~	~	~	400	
MARTES	400	700	~	700	~	~	50	~	285	700	~	~	700	~	50	~	La mujer preparando té y se dará medio litro por persona dos veces al día en lugar del caldo o la gachas o ambos.
MIÉRCOLES	400	700	140	~	~	450	~	400	285	700	~	~	700	~	50	~	
JUEVES	400	700	~	700	~	~	50	~	285	700	140	450	~	~	~	400	
VIERNES	225	700	~	~	400	~	50	~	285	700	~	~	700	~	50	~	
SÁBADO	400	700	140	~	~	450	~	400	285	700	140	450	~	~	50	~	
DOMINGO	400	700	~	700	~	~	50	~	285	700	~	~	700	~	~	400	

—Oh, estos pobretones son unos suertudos —suspiró doña Humilde.

—Casi tanto como nosotros —se burló su marido—. ¿Quién iba a pensar que íbamos a encontrar un trabajo tan bueno justo al salir de la cárcel, corazón?

La voz de la mujer se volvió tan cortante como su nariz de navaja.

—Nunca menciones eso, pichuelo. Nunca. Nadie debe saberlo. Nadie.

En la comisaría de Winrich, el inspector Bicher miraba el cartel que tenía ante sí en el escritorio. El artista de la prisión había dibujado las caras muy bien. Las figuras lo miraban como si estuviesen vivas.

Recuerda que esto sucedió en 1837 y no se había inventado la fotografía. Pero un buen artista era capaz de mostrar una cara mejor que cualquier fotografía. Un villano puede ocultar su maldad ante una cámara, pero un verdadero artista descubre las mentiras que oculta y las dibuja. La próxima vez que te arresten no te preocupes si te sacan una foto... ¡Pero jamás dejes que te dibujen! Te ofrezco así, gratis y todo, este consejo que no tiene precio. Es que me paso de amable.

PRISIÓN

Reclusos: Hengist y Ángela Harper.

Orígenes: Calle de la Uva 37, South Banchester.

Fecha de arresto: 11 de febrero de 1836, Darlham.

Delito: Capturar hijos de millonarios, quitarles la ropa y los zapatos y venderlos a las tiendas.

Sentencia: Un año en prisión cada uno, ya que ningún niño fue herido.

Fin de condena: En libertad el 13 de febrero de 1837.

Dio unos golpecitos en el cartel con uno de sus dedos, que eran gordos como salchichas de Baviera. Después lo guardó con cuidado en el cajón y lo cerró con llave.

Samuel Skill estaba frente a la entrada del hospicio de Winrich, un arco elegante con puertas sólidas pintadas de verde oscuro. Los muros eran altos. Había púas entre la parte alta del muro y la propia puerta. Escapar de aquí sería tan difícil como hacerlo de la prisión Darlham.

Los gemelos Mixly estaban a su lado. Millie ya tenía el pelo tan corto como su hermano. Llevaban la ropa más vieja que había encontrado su madre: lo que vestían cuando se quedaron sin dinero, antes de que el Profesor Randa los salvase.

—¿Sabéis por qué os he escogido para esta misión? —preguntó Skill. Se retorció la punta del bigote. Los gemelos tenían un aspecto tan frágil que le preocupaba que la tarea fuese demasiado dura para ellos. Pero le sonrieron con una cara radiante.

—Siempre hacemos lo que nos dicen, señor —dijo Millie.

—De hacerlo con Alice, comenzaría una revuelta y eso no es lo que queremos, señor —añadió Martin.

—Y si el encargado fuese Smiff, se pasaría todo el tiempo en la sala de castigo, con esa chaqueta amarilla… Tengo una duda, señor, ¿por qué deben usar esa chaqueta amarilla? —preguntó Millie.

—¡Ah! Las reglas del hospicio. A los que se portan mal se les obliga a llevar una chaqueta amarilla. Así es posible identificarlos —explicó Samuel Skill.

Los gemelos asintieron.

—Nunca nos verán llevar esa chaqueta —dijo Millie.

Skill se inclinó.

—Os harán trabajar duro e intentarán mataros de hambre —advirtió.

—Está bien, señor, aguantaremos —se rio Martin—. Cuando éramos pobres, durante el último mes, nuestra madre nos daba guisantes para cenar.

—Qué bien —dijo el profesor.

—Un guisante para cada uno —suspiró Millie.

—Qué mal —dijo el profesor.

—Una noche me enfadé —intervino Martin—.
¡Pensé que Millie tenía los dos guisantes en su
plato!

—¡Lo que había hecho era cortar mi guisante por la
mitad! —dijo ella, y los gemelos se rieron.

Millie tembló de repente cuando el viento de marzo
sopló desde el río.

—Qué raro es tener el pelo corto como Martin
—suspiró—. Y llevar pantalones.

—Ahora os parecéis muchísimo… —asintió Samuel
Skill— y eso quizá nos ayude. El plan es que Martin
descubra cómo funciona el hospicio. ¿Hay una manera
sencilla de entrar y salir? ¿Son los Humilde tan buenos
como dice el alcalde Twister?

—¡El alcalde Twister es un mentiroso! —resopló
Millie—. Es lo que dice Nancy y seguro que lo sabe
bien. ¡Antes trabajaba para él!

—¿O los Humilde son, en realidad, los malvados
delincuentes Harper, la pareja que pasó una
turbulenta temporada en la prisión Darlham, como
sospecha el profesor Randa? —continuó Skill—.
Bueno, ¿tenéis papel y lápiz?

—Sí, señor —dijo Martin.

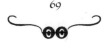

—Atad un mensaje a una piedra y tiradla por encima del muro si necesitáis ayuda o si habéis descubierto una buena salida. ¿Estáis listos?

—¡Sí, señor!

—Millie, escóndete tras la esquina. No dejes que te vean.

Millie asintió y salió corriendo.

El señor Skill tiró de la cuerda que colgaba al lado de la puerta y en algún lugar del interior sonó una campanilla. Un minuto más tarde oyeron el ruido de un cerrojo y las nuevas puertas crujieron sobre sus nuevos goznes. Un hombre con cara de escarabajo furioso los fulminó con la mirada.

—¿Qué queréis, eh? —dijo.

—¿Don Humilde?

—Encantado de conocerlo, don Humilde —dijo el escarabajo.

—No, no, no —se rio Skill—. Yo no soy don Humilde… Usted es don Humilde, supongo.

—¿Según quién?

—Según el alcalde, Oswald Twister.

—¡Oh… sí! Es verdad. Soy Humilde. Humilde de apellido y humilde por naturaleza, como dice siempre

doña Harp…, eh…, doña Humilde. ¿Les puedo ayudar en algo?

Skill le entregó una tarjeta de presentación.

DON SAMUEL SKILL

Experto en educación
Delincuente, malhechor, forajido, contrabandista
y conspirador con estudios

Academia de Truhanes del Profesor Randa
Calle Mayor, Winrich

¡Acuda a Randa para que no le pillen por banda!

—Skill, ¿eh?

—Esta mañana nos encontramos a este desafortunado niño en la puerta.

—¿En la puerta? ¿Qué hacía ahí?

—Llorar.

—A lo que me refiero…

—Lo dejaron con una nota al cuello. ¡Aquí está! Debo admitir que es conmovedora.

A quien pueda interesar:

Ya no soy capaz de alimentar a mi querido hijo. Me dirijo al sur a buscar trabajo. No puedo enviarlo al hospicio porque las reglas dicen que debo ir con él. Si voy al hospicio, nunca encontraré trabajo. Pensé que el profesor Randa podría cuidarlo... Enseñarle para que no lo pillen por banda. ¿Qué piensan? Firmado: su padre que le quiere mucho.

PD: Martin no come bien, solo le gustan un poco las gachas. De hecho, apenas come nada.

—Por desgracia, el profesor Randa no tiene plazas en la academia. Me preguntaba si podrían romper las reglas y acogerlo aunque no venga con su padre. —preguntó Skill.

—¡Ja! ¡Por seis peniques al día! ¡Claro que podemos!

—¿Aunque vaya contra las reglas?

—¡Ja! Las reglas se escriben para romperlas —resopló Humilde con esa cara de escarabajo.

Lo voy a llamar Humilde aunque tú sepas que en realidad es Harper. No tienes que demostrarme lo listo que eres y decir: «Te has equivocado de nombre». No te pases de listo, mejor intenta ser humilde. Al fin y al cabo, eso es lo que intenta hacer Harper.

—¡Qué buena noticia, niño! ¡Entra ahí y rompe las reglas!

—¡No! —gruñó Humilde—. ¡No mis reglas! Si rompes mis reglas, te apalearé como a un perro —dijo furioso y soltó escupitajos de rabia. Alzó la vista para dirigirse a Samuel Skill. —No se preocupe, señor Skill, seguro que el chico será muy feliz aquí… Oh, y si encuentra alguno más, tráigalo. Como se suele decir: cuantos más seamos, más reiremos.

—El niño se llama…

—¡Su nombre ya no importa! —interrumpió Humilde—. A partir de ahora, será un número, no un nombre. —Señaló a Martin y dijo—: Eres el Número Uno. ¡Bienvenido al humilde Hospicio Hospitalario de Winrich!

Cerró la puerta de un golpe, y esta retumbó como un mal presagio.

Capítulo 5

CANES Y CARCAMALES

Miércoles, 14 de marzo de 1837

La calle Mayor de Winrich estaba abarrotada
y atiborrada, casi hasta agarrotada. La lavandera había
dejado la carreta en la esquina y bloqueaba la mitad de
la vía mientras entregaba ropa limpia y recogía la sucia.

Los carruajes hacían cola y los carromatos
esperaban, las carretas se estrellaban y las carretillas
intentaban colarse. Dos cocheros discutían y los
tenderos sonreían al ver el espectáculo. La sombrerera
salió a la puerta y dijo al mendigo ciego:

—Hace siglos que no veo una buena pelea.

—¡Yo nunca he visto una buena pelea! —contestó
el hombre.

—Alguna habrás visto… si estás ahí siempre —exclamó ella.

—Soy ciego. No veo nada… Así no tengo que ir de testigo a ningún juicio —dijo él al tiempo que se quitaba los anteojos oscuros para ver mejor.

Dos carreteros se habían bajado de un salto para tratar de desencajar las ruedas. Tenían la cara roja y se gritaban entre sí. Sus perros no dejaban de ladrar.

—¿Y tú dices que sabes conducir? Deberían prohibirte salir a la calle.

—¿Y tú dices que eres un ser humano? Más bien pareces un mono. Eso sí, un mono conduciría mejor que tú. Te lanzaste directo contra mí.

—De eso nada, amigo.

—No soy tu amigo. No me llevo bien con los monos.

—Si me has estropeado los tomates, te parto la cara.

—Si has hecho daño a mis sapos, te los pego en la cara.

—¿Sapos? ¿Para qué llevas sapos?

—Para la tienda del viejo alquimista. Usa muchos para sus medicinas. —El carretero sacó un sapo y lo meneó ante la cara del de los tomates—. ¿Lo ves?

—¡Aaaagggghhhh! Apártalo de mí. Los odio. —Cogió un montón de tomates y empezó a acribillar a tomatazos

a su rival. A continuación comenzaron a empujarse
hasta rodar por la calle embarrada.

—Qué birria de pelea —suspiró la sombrerera.

—Sí —asintió el mendigo ciego, que se volvió
a poner las gafas—. Sapos que croan no muerden.

El agente Gordon y el agente Colín salieron
de la comisaría y se abrieron paso entre carromatos,
perros y ratas mientras leían las órdenes del día.

Cuerpo de Policía de Winrich

Fecha: 14 de marzo de 1837

Órdenes para la patrulla nocturna:

Patrullar las calles principales de Winrich.

Interrogar a todo aquel que esté mendigando o parezca
desempleado o sea pobre.

Apuntar los nombres.

Llevar a esas personas al hospicio de Winrich, en la calle del
Puente Norte.

Dejarlas al cuidado de don o doña Humilde.

Dirigirse a las Residencias Cuchitril y detener a todo el mundo.

Inspector jefe Bicher

Pasaron junto a los dos carreteros, que rodaban sobre los adoquines como babosas.

—¡La pasma! —dijo la sombrerera al ciego.

—¿Pasma?

—Sí, policías… ¿Ves?

—No veo nada —dijo el mendigo.

—¡Oigan! ¿Agentes? —los llamó la mujer—. ¿No van a arreglar este tráfico?

El agente Gordon miró al agente Colín.

—¿Tráfico? ¿Eso es parte de nuestro trabajo?

Colín se acarició el bigotito blanco.

—Aquí tengo uno de los poemas que el alcalde escribió al darnos el trabajo…

oda policial

¡Adelante, agentes, al forajido!,
enviad a prisión a los criminales,
los ladrones huirán despavoridos
al ver a nuestros bravos carcamales.
Proteged a los ricos por la gorra,
de pobres y expósitos y rufianes.
Nada como un castigo con la porra,
ante la horrible turba mendicante.

PODEROSO CABALLERO ES DON DINERO
¡Más Poderoso aún es don Oro!

—¿Qué es un expósito? —farfulló Colín.

—Un marido bajito, creo.

—No, eso es un esposito. —Empujó con la bota a uno de los carreteros peleones y jadeantes—. Discúlpeme, señor, ¿es usted un expósito?

—Pues no creo —dijo el hombre, alzando la cara enrojecida.

Gordon miró al hombre con el que peleaba.

—¿Y usted? Me da que es un esposito.

El hombre agarró un sapo pequeño.

—Dijo que si eres un esposito, no que le des un sapito.

—Ah, perdón. Pues no.

—Eso pensábamos. Sigan con lo suyo, caballeros —asintieron los agentes.

Los hombres se ayudaron a levantarse y subieron a sus carretas.

—¡Pero bueno! —gritó la sombrerera—. ¿Es que no van a arreglar este tráfico?

—¡Eso no es responsabilidad de la policía! —dijo Colín—. Que se las arreglen solos.

La mujer no aceptó esa respuesta.

—El camino está bloqueado y nadie puede llegar a mi tienda. Nadie puede acercarse a ayudar a este

pobre mendigo ciego y su perro. Estamos perdiendo dinero.

Gordon se encogió de hombros. Los agentes caminaron hasta la esquina de la calle Mayor. Se detuvieron. Se miraron el uno al otro.

—Vaya, Colín. ¿Dijo lo que creo que dijo?

—¿Mendigo?

—¡Tenemos que arrestar a ese hombre y llevarlo al hospital de Winrich!

—Creo que se dice hospicio, Colín.

—Cierto —dijo el agente alto y flaco tras mirar su papel.

Dieron la vuelta y caminaron hasta el mendigo.

—Un penique para el perro, por amor a la caninidad —rogó el hombre con su voz más lastimera.

—¿Está mendigando?

—Vaya, si lo ha notado es que es usted un hombre brillante, agente. ¡Sobresaliente! —se burló el mendigo.

—En ese caso, está bajo arresto. Lo llevaremos al hospital —dijo Colín—. Es decir, al hospitalicio… Allí le darán trabajo para que pague su comida y su cama.

Levantaron al hombre.

—¿Y mi perro?

—¿Puede trabajar?

—No, pero…

—Entonces, no puede venir —sentenció Gordon.

—No te preocupes, yo cuidaré al pequeñín —dijo la sombrerera—. Puede dormir en mi cama por la noche.

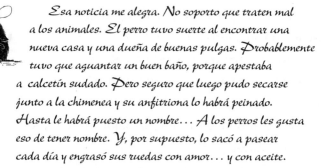

Esa noticia me alegra. No soporto que traten mal a los animales. El perro tuvo suerte al encontrar una nueva casa y una dueña de buenas pulgas. Probablemente tuvo que aguantar un buen baño, porque apestaba a calcetín sudado. Pero seguro que luego pudo secarse junto a la chimenea y su anfitriona lo habrá peinado. Hasta le habrá puesto un nombre… A los perros les gusta eso de tener nombre. Y, por supuesto, lo sacó a pasear cada día y engrasó sus ruedas con amor… y con aceite.

—¡Gracias, señora! —logró gritar el mendigo antes de que lo arrastraran por el puente de Winrich rumbo al hospicio.

Doña Humilde abrió la puerta.

—¿Qué quieren, eh? —dijo.

—Nos complace poner bajo su cuidado a este desafortunado mendigo —dijo Colín mirando su papel—. Eh… Doña Humilde.

—¿El mendigo se llama doña Humilde? Qué nombre raro.

—No —dijo Gordon—. Usted se llama doña Humilde.

—¿Yo?

—Si usted es la supervisora del hospicio, entonces ese es su nombre —explicó el agente, extrañado.

—Ah… Oh… Eh… ¡Síiii! ¡Esa soy yo! —dijo la mujer con su sonrisa de dientes de sable.

—Entonces, ¿cuidará de este mendigo?

—¿Qué? ¿Solo un pobre? ¿Nada más? ¡No podemos ganarnos la vida con dos pobres! Necesitamos cien. ¡Creí que mi amigo, el alcalde, les había ordenado limpiar las calles!

—Como le dije al alcalde —respondió Colín—, no tengo una escoba.

—Pero ¿esto es todo lo que pueden hacer? ¿Un miserable mendigo? —se enfadó la mujer.

—Ofrecí traer a mi perro —intervino el mendigo.

—Los perros no cuentan. Si un perro llega aquí, lo cocinamos y nos lo comemos —gruñó doña Humilde.

—¡Menos mal que no lo traje! —dijo el mendigo.

La mujer apuntó a los agentes con su nariz afilada.

—Este viernes tenemos una visita muy importante. Nos prometieron cien pobres para antes. Si el alcalde descubre que han fallado, de verdad los va a mandar a barrer calles: a barrer las cacas de caballo de la calle Mayor. Ahora, fuera de aquí y cumplan las órdenes del alcalde.

La mujer agarró al mendigo y lo metió en el hospicio de un tirón.

—¡Disculpe! —dijo el agente Colín mientras sacaba un cuaderno—. Tenemos que rellenar el formulario de arresto.

CUERPO DE POLICÍA DE WINRICH

Datos del arresto para vagabundos, mendigos y huérfanos

Fecha:

Nombre del mendigo / vagabundo / huérfano:

Firma del supervisor del hospicio:

Tras escribir la fecha, Colín se dirigió al mendigo.

—¿Nombre?

—A usted se lo voy a decir —respondió el hombre, enfurruñado—. No me puede obligar.

—Deme eso —intervino doña Humilde. El policía le pasó el cuaderno y el lápiz.

CUERPO DE POLICÍA DE WINRICH

Datos del arresto para vagabundos, mendigos y huérfanos

Fecha: Miércoles, 14 de marzo de 1837

Nombre del mendigo / vagabundo / huérfano: Número Dos

Firma del supervisor del hospicio: A. Harper

Le devolvió el cuaderno y puso la mano en la puerta.

—No quiero ver sus caras de paletos por aquí hasta que tengan noventa y ocho pobres más.

Cerró de un portazo.

El agente Gordon miró el formulario.

—Vaya, Colín, no sabía que Humilde se escribía así —dijo.

—Es que es un apellido del sur —explicó su compañero.

—Con razón. Bueno, supongo que ahora tenemos que ir hasta las Residencias Cuchitril.

Gordon miró al cielo, cada vez más oscuro.

—Será noche cerrada cuando lleguemos. Y si de día se ve tan oscuro, no quiero ni imaginarme cómo lucirá sin sol. Yo no pienso ir de noche. Me da miedo. Mejor vamos por la mañana.

—Buena idea, Gordon.

De repente, el sombrero de copa de Colín salió disparado por la calzada.

—¿Qué ha sido eso? —se quejó.

—Niños tirando piedras. Volvamos a la calle Mayor… No tardarán en encender los faroles de gas.

Ambos hombres arrastraron los pies tan rápido como podían. Cruzaron el puente y regresaron al pueblo.

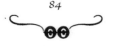

Un hombre con un sombrero estropeado salió de la esquina del hospicio. Se dirigió al camino y cogió la piedra que había derribado el sombrero de Colín. Había un trozo de papel atado a la piedra. El hombre salió corriendo por la colina tras los policías. Mientras los agentes entraban en la comisaría, él enfiló hacia la Academia de Truhanes del Profesor Randa.

Los cuatro estudiantes estaban sentados ante sus escritorios y escuchaban la última lección de Ruby Friday sobre secuestro.

—¿Qué tal está Martin? —preguntó Nancy, preocupada.

El señor Skill desplegó el papel.

QUÉ FRÍO. LOS HUMILDE ME DAN DE COMER GÁCHAS CON MÁS AGUA QUE AVENA. TIENEN UNA LUMBRE EN SU HABITACIÓN, PERO A MÍ NO ME DEJAN ENCENDER UNA. NO ME DEJAN NI TENER UNA VELA. ESTARÉ BIEN PORQUE SOLO ME VOY A QUEDAR UN DÍA, MÁS O MENOS. NO TE PREOCUPES, MILLIE. DOÑA HUMILDE ACABA DE ACEPTAR UN NUEVO INTERNO. SE LLAMA DOS. PERO LA HEMOS OÍDO DECIR QUE EL ALCALDE QUIERE A TODOS LOS HABITANTES DE RESIDENCIAS CUCHITRIL AQUÍ ANTES DEL VIERNES. Y EL VIERNES ES EL DÍA DE UNA VISITA.
ABRAZOS, MARTIN

—Entonces, ¿mañana salvamos a las familias de las Residencias Cuchitril? —dijo Alice.

—No, el profesor Randa no nos ha dado la orden de salvarlas —informó el señor Skill en voz baja.

—¡Ya veremos! —dijo Alice.

La chica caminó hasta la pared y sopló en un tubo. Lejos, en el sótano, sonó un silbido. Se colocó el tubo en la oreja y se escuchó una voz: «Profesor Randa al habla».

—Quería hablar contigo —dijo Alice, y puso el tubo en su sitio. Salió a zancadas y pasó por la puerta que daba al sótano. Smiff sacudió la cabeza.

—Nunca cambiará.

El señor Skill miró a Ruby Friday.

—Entonces, este viernes será un día ajetreado en el hospicio, señorita Friday… ¿Diría que es un buen día para un secuestro?

—¡Claro! —dijo ella—. Es justo lo que estábamos planeando.

Algunos minutos más tarde, Alice se deslizó en la clase y se sentó en silencio en su sitio.

—¿Y? —preguntó Smiff—. ¿Qué dijo el profesor Randa?

—Dijo… —La muchacha negó con la cabeza—. Dijo que tenemos que reservarnos para las batallas

que podemos ganar y que no tiene sentido entrar
en una batalla que vas a perder.

Ruby Friday se rio.

—El duque de Wellington dijo lo mismo… ¡Por eso
nunca fue derrotado!

—Pero no vamos a luchar contra los franceses
—objetó Smiff—. Solo vamos a parar a dos viejos
policías que quieren arrestar a cien pobres. ¡Es fácil!
Los hemos vencido antes. Podemos hacerlo de nuevo.

Samuel Skill movió los dedos de esa forma que
acostumbraba cuando sentía entusiasmo por algo.

—El profesor Randa sabe más de lo que pensáis.
Si dice que no podemos ganar la batalla de Residencias
Cuchitril, sus razones tendrá. Mañana, en ese lugar, va
a pasar algo que nadie puede impedir.

—¡Si por lo menos lo intentáramos! —se quejó
Nancy—. ¡Esas pobres familias…!

—Podemos observar —opinó Skill—. Observar
y esperar. Y luego, trazar un plan.

—Recordad Waterloo —dijo Ruby Friday—.
Reservaos para las batallas en las que podéis vencer.
Y si no podéis vencer…, ¡haced trampas!

Capítulo 6

MIEDO Y MISERIA

Jueves, 15 de marzo de 1837

Si el hospicio de Winrich era gris como una tumba, las Residencias Cuchitril lucían el mismo tono marrón que una fosa recién excavada. Muros de ladrillo marrón mugriento rodeaban un suelo marrón cieno y había puertas marrones desvencijadas y tablas marrones ásperas alrededor de unos agujeros marrones que alguna vez fueron ventanas.

La gente era marrón. Cubrían su piel, de un marrón sucísimo, con trapos marrones. Y todos esos seres marrones tenían ojeras marrones cubriendo sus ojos, vacíos como las ventanas. Si pudieses cortar uno de los habitantes de las Residencias por la mitad, quizá verías huesos marrones.

Los muros se alzaban hasta el tercer piso, pero había áticos estrechos más arriba y un sótano donde se encontraba la letrina que contenía los desperdicios de los lavabos. El patio estaba encerrado por cuatro paredes donde nunca daba el sol y en él la hierba jamás crecía o no se atrevía a hacerlo.

Desde fuera, Residencias Cuchitril ofrecía el aspecto de un ladrillo marrón vacío. Por dentro, se parecía muchísimo al infierno.

Los habitantes de Residencias Cuchitril estaban flacos y hambrientos. Solo los gatos estaban gordos, de tantas ratas que cazaban. Y eso que no era un buen lugar para las ratas. Los niños que las perseguían eran tan peligrosos como los gatos y tenían mucha más hambre.

Apenas un año antes del comienzo de nuestra historia, un inspector había osado adentrarse en el lugar. Perdió la chaqueta, la cartera y el abrigo. Tras varias semanas en el hospital, encontró energías para escribir un último informe y decidió cambiar de profesión: se hizo pastor bajo el cielo estrellado. Juró no volver a pisar ningún pueblo. El alcalde Twister escondió el informe, avergonzado ante semejante panorama. Una humillación para Winrich.

Residencias Cuchitril, número 6. Una familia numerosa compartía habitación con dos conejos y con pájaros enjaulados. Usaban los pájaros en competiciones de canto en las tabernas.

Residencias Cuchitril, número 10. Había una trampilla que daba a la habitación de arriba. Así era posible escapar cuando la policía iba de visita.

Residencias Cuchitril, número 5. Dos familias compartían habitación. Los bebés pasaban sus primeros meses de vida en los armarios.

Residencias Cuchitril, número 2. Once personas llevaban demasiado tiempo viviendo en estas dos habitaciones, que se encontraban en las condiciones más repugnantes que alguien pueda imaginar. Había cuatro camas en la habitación; tocaba a tres personas por colchón. Tras una de las camas había un gallinero lleno de mugre; el olor era insoportable.

Y la cosa no había cambiado.

El alcalde Twister y su esposa se aseguraron
de que nadie tuviera acceso a ese bochornoso informe.

Cuando Colín y Gordon atravesaron el pueblo
para ir a Residencias Cuchitril, parecía que unas cien
personas iban detrás de ellos. Los viejos policías
marchaban decididos y con las porras en alto.

Pasaron ante la Academia de Truhanes del Profesor
Randa y los profesores y estudiantes salieron para seguirlos.

—La excursión de hoy probablemente nos lleve
a Residencias Cuchitril —anunció el señor Skill.

—Sí, no vayáis muy rápido, que ya no tengo
las piernas tan frescas como antes… Ni la cabeza,
ni los dientes, ni las medias —resopló Ruby Friday.

Los agentes caminaron entre una bandada
de gansos a los que llevaban al patio de la carnicería.
Los gansos, furiosos y ruidosos, se volvieron y los
siguieron. La chica que los guiaba no pudo hacer nada
para detenerlos. Los agentes rodearon un pequeño
rebaño de vacas que iba al mercado.

*Pasaron a través de los gansos pero alrededor de las vacas.
No puedes caminar a través de una vaca. Como decía Ruby*

Friday: «Resérvate para las batallas que puedes ganar». La próxima vez que veas una vaca en el camino, no la atravieses, solo pasa por un lado. La próxima vez que veas un toro en el camino, sal corriendo. A menos que se te dé bien torear, claro.

El ganado se volvió y los siguió. Caminaron por la calle Menor y pasaron ante la casa de Smiff.

La madre de Smiff se asomó a la puerta.

—¡Hola, Smiff! ¿Os apetece una taza de té, a ti y al apuesto señor Skill? Está recién hecho, de ayer mismo.

—Ahora mismo estamos ocupados, mamá… Me paso después de clase —dijo el muchacho despeinado—. Y te traeré algo de azúcar.

—Qué orgullosa estoy de mi Smiff. —La señora Smith sonrió a su vecina—. ¡Deberías ver sus notas! Insuficiente en sinceridad, insuficiente en ayudar a la policía, ¡y peor nota todavía en ser simpático con los ricachones!

—Ha salido a su madre, entonces —rezongó la vecina.

A los agentes los seguían todos los perros callejeros de Winrich y los niños salían de sus casas para unirse a la corriente que bajaba por la calle Menor.

—¡Es como el bautista del jabalín! —se rio la señora Smith.

—¿El qué?

—Ese cuento de cuando éramos niñas. Los chicos seguían al bautista del jabalín y se perdían en las montañas.

La vecina frunció el ceño.

—¿No estarás hablando del flautista de Hamelin?

—Eso mismo he dicho. ¡Vaya! Voy a coger el chal. ¡Yo esto no me lo pierdo!

—Pero ¿qué pasa? —preguntó la vecina.

—No tengo ni idea —se encogió de hombros la señora Smith—, pero ¡no me lo pienso perder!

Daba la impresión de que la mitad de Winrich se hubiese reunido afuera de las Residencias Cuchitril. El alcalde Twister y su mujer ya estaban ahí, sentados en silencio en su carruaje. El alcalde guardó silencio cuando llegaron los agentes. Se limitó a levantar su brazo pequeñito y a señalar con un dedo, también pequeñito, la entrada del edificio marrón de ladrillos.

Incluso los niños más charlatanes se quedaron callados cuando Colín y Gordon entraron. Durante unos instantes podrías haber oído hasta el chillido de una rata.

Bueno, no habrías oído chillar a ninguna rata porque los gatos ya se las habían merendado. Las pocas ratas que seguían con vida sabían muy bien que era mejor no

emitir ningún sonido. Vamos a dejarlo en que podrías haber oído el ronroneo de un gato. Y hazme un favor: no confundas un gato ronroneando con un gato dándole al ron.

Smiff miró el patio cuadrado a través del arco de la entrada. Estaba a solo un minuto de su casa, pero era un lugar muy diferente. No había ni una mala hierba en ese patio. Observó cómo los policías se abrían camino entre montones de basura y muebles rotos.

Las ventanas estaban tapadas con maderas, pero, por los agujeros, se podía adivinar que unos ojos astutos seguían a los dos hombres de uniforme azul marino. Alguien había escrito una frase en una tabla junto a la entrada sin puerta:

BIENVENIDOS AL IMPERIO DEL HAMBRE

Había pasado menos de un minuto y los dos agentes
volvieron a salir, completamente desconcertados
y parpadeando ante la luz…

Jueves, 15 de marzo de 1837

LA ESTRELLA DE WINRICH
¡POLIS PIERDEN LA CAMISA!

Los agentes Gordon y Colín, miembros del nuevo y flamante cuerpo de policía de Winrich, se quedaron en paños menores cuando quisieron entrar en las Residencias Cuchitril. Los agentes, horrorizados y tiritando de frío, concedieron una entrevista a nuestro reportero a las afueras del edificio marrón dentro del cual perdieron su ropa y su dignidad.

«Entramos en el edificio, tal como se nos ordenó. Habían entablado las ventanas, así que usamos nuestros faroles», explicó el veterano agente Colín. «La puerta se cerró detrás de mí. Entonces sentí que me arrancaban el farol de la mano para dirigir su luz directo a mis ojos. No po-día ver nada. Luego sentí cosas raras moviéndose por mi cuerpo. Quizá fuesen ratas o quizá fuesen manos humanas».

Gordon, su aterrorizado compañero, añadió: «A mí me pasó lo mismo. Intenté hacer sonar el silbato para pedir ayuda, pero había desaparecido. Metí la mano en el bolsillo para sacar mi cuaderno de notas, pero tampoco estaba… ¡Ya no tenía ni cuaderno ni bolsillo! No había transcurrido un minuto cuando las manos dejaron de tocarme, la puerta se abrió y me empujaron fuera».

«Y a mí», dijo Colín. «En el arco de entrada me golpeé contra un hombre. Quise coger mi porra, pero ya no la

Cont.

tenía. Tampoco tenía el cinturón. Me preparé para golpear a este hombre, pero me di cuenta de que era el agente Gordon. No lo reconocí al principio porque iba en ropa interior… No llevaba ni las botas. Parecía avergonzado».

«**Y** el agente Colín, lo mismo», aseguró Gordon. «Nos quitaron todo y nos echa-ron en menos de un minuto. Ese lugar es un nido de ladrones profesionales y hará falta un ejército para sacarlos de ahí».

«**E**l inspector nos había dicho que tendríamos la oportunidad de cubrirnos de gloria», concluyó con voz lastimera Colín. «Pero ahora no nos cubre nada. Nada de nada».

Los valientes representantes del orden posaron en ropa interior mientras nuestro artista los dibujaba para *La Estrella de Winrich*. Se ruega a las damas no mirar el retrato, pues la fuerte imagen podría escandalizarlas.

Un niño pequeño soltó una risita. Nadie lo imitó.

—¿Para eso estamos aquí? —susurró Alice al señor Skill—. ¿Para aprender a tratar a la pasma como los truhanes profesionales?

—No, Alice —negó el profesor—, no son truhanes expertos, solo es gente desesperada. Nosotros robamos a los ricos para ayudar a los pobres. Pero nunca ridiculizamos a los agentes. Eso sería un error. El alcalde Twister se enfadaría mucho.

—¿Y qué? ¿Qué nos va a hacer? —preguntó Alice.

Samuel Skill se limitó a señalar con la cabeza el lujoso carruaje del alcalde.

La cara de Oswald Twister no se había inmutado tras el número protagonizado por los agentes. El alcalde salió del carruaje. Señaló la línea de ferrocarril que pasaba por el puerto. La locomotora Número Tres estaba al final, en un andén situado cerca del río, ideal para llevar carbón a los barcos.

El maquinista hizo una seña. Tiró del silbato del tren a vapor, que dio tres largos pitidos. Había veinte vagones, pero ninguno llevaba carbón. En cada vagón había seis hombres de pie, como esperando órdenes. Desde lejos, era posible ver que eran corpulentos, con brazos gruesos y músculos de acero, y rostros de aspecto duro. Todos llevaban alguna herramienta: picos, palas, barras de metal o serruchos.

—Ah —susurró el señor Skill—. Los comandos.

—¿Qué? —dijo Smiff.

—A esos hombres los llamamos comandos —dijo Ruby Friday—. Están construyendo la red de ferrocarriles. Imagino que han estado trabajando en la línea Winrich y Helton, que se unirá a la Gran Línea del Norte.

—Un trabajo peligroso —suspiró Samuel Skill.

—Hombres peligrosos —secundó la mujer.

Ninguno de los integrantes del ejército hablaba. Al llegar a las Residencias Cuchitril se dividieron en dos grupos. La mitad formó una línea que parecía un muro de hierro ante la entrada. El resto entró tranquilamente en las viviendas. Se escuchaban chasquidos de madera.

A diferencia de los pobres agentes, no había puerta que resistiera el paso de los hombres de las herramientas. Se oían gritos de niños asustados, llanto de bebés, el «cua-cua» de los patos y alaridos de mujer.

Creo que aún no he mencionado a los patos. Pensar en ellos me llena de melancolía. Son tan graciosos

y encantadores. Vivían en una habitación, junto
a una de las familias. No eran mascotas. Ponían unos
huevos de campeonato. Y cuando ya no ponían huevos…
Tengo que admitirlo, la sopa de pato también es
deliciosa. Como digo, ¡qué melancolía!

Poco después de que el último comando desapareciese tras la última puerta destrozada, las familias de rostros marrones comenzaron a salir. Todos se veían asustados y temblaban de frío.

El grupo de comandos que esperaba afuera los rodeó, así que todos los habitantes de las Residencias Cuchitiril quedaron atrapados. Se oyeron más chasquidos cuando los fornidos hombres arrancaron los tablones de las ventanas para que entrase la luz, saliese el hedor y los escondites a oscuras quedasen al descubierto.

Cuando casi cien personas estaban apiñadas entre el corro de captores, un comando, que parecía ser el jefe, se dirigió a la puerta e hizo una señal. En pocos segundos apareció una formación de doble fila. Las familias quedaron en medio de los hombres. El grupo avanzó con paso ligero por la calle Menor en dirección a la calle Mayor.

Las dos filas, y los pobres entre ellas, giraron a la derecha en el puente y lo cruzaron rumbo al hospicio, que quedaba al otro lado. La multitud que se había reunido para ver la contienda se quedó a medias.

Aunque utilice la palabra «contienda», digamos que esto estuvo al nivel de lanzar cristianos a los leones en un circo romano. Una verdadera contienda es una disputa justa con reglas, como acribillar a tu profesor con bolitas de papel empapadas de tinta e intentar que no te pillen... Claro, claro, alguien tan dulce como tú pensará que una trastada de ese tipo no es digna de la gente de bien, ¿verdad?

Algunos de los hombres de herramientas que habían entrado a las Residencias Cuchitril salieron y apartaron a empujones a los espectadores.

De repente hubo un crujido y un montón de tejas salieron disparadas. En los huecos aparecieron hachas y barras de acero y la madera podrida comenzó a caer. Cuando desapareció el tejado, los comandos embistieron las paredes, cuya madera estaba agujereada por los gusanos. Todos pudieron ver las deprimentes habitaciones que habían servido de hogar a cientos de personas. Unas cuantas mantas y prendas

andrajosas cayeron por los suelos y la multitud se tapó la nariz para no oler la peste.

Los brazos de los comandos trabajaron sin descanso, como pistones de locomotora. En media hora, las Residencias Cuchitril quedaron reducidas a astillas.

Los comandos se marcharon. El último hombre en salir llevaba en las manos dos uniformes azul marino con botones plateados. Se los entregó a los dos agentes, que se vistieron a toda prisa.

El alcalde se permitió una sonrisa. Metió la mano en el bolsillo y sacó un monedero repleto de plata. Se lo entregó al jefe de los demoledores. El hombre lo cogió y señaló el montón de astillas. Cinco o seis de sus trabajadores corrieron hacia los escombros con cajas de yesca y prendieron fuego a la paja mugrienta. En minutos las llamas treparon por las maderas y la gente tuvo que apartarse del calor. Los caballos del alcalde resoplaron y retrocedieron asustados.

—¡A casa, James, y a toda prisa! —gritó Oswald Twister y subió la ventanilla de su carruaje.

El cochero alzó el látigo.

—Le encanta gritar eso… Y eso que me llamo Jack.

Capítulo 7

PASTELES Y PLANES

Jueves, 15 de marzo de 1837

Era un húmedo día de marzo y Alice White se
encontraba ante las puertas del hospicio, observando
a las familias que pasaban en silencio ante don y doña
Humilde. Los supervisores del hospicio se frotaban
las manos con ansiedad y contaban el dinero que iba
entrando por la puerta.

Ya era mediodía y los basureros, antes falsos y
ahora auténticos, llegaron hasta las puertas haciendo
ruido. El más alto le sonrió a Alice.

—Gracias por defendernos en el tribunal —dijo.

—Fue importantísimo —asintió el bajito—. Si
podemos ayudarte en algo, no tienes más que decirlo,

jovencita. ¿Quieres un montoncito de estiércol gratis?… A los repollos les sienta de maravilla.

—¡No voy a cocinar repollos con estiércol! —protestó la muchacha con un escalofrío.

—¡No! Solo tienes que echarlo sobre el repollo.

—Yo soy más de echar sal y pimienta —dijo Alice.

—Me refiero a cuando el repollo todavía está en el campo. El estiércol lo ayudará a crecer si lo esparces por el huerto. ¡Cuando recojas tus repollos, te quedarás con la boca abierta! —aseguró el alto.

—Seguro —asintió ella—. Pero yo recojo mis repollos del estante de la tienda.

—Oh, vaya. Entonces no podemos hacer gran cosa por ti —lamentó el bajito.

—¡En eso te equivocas! —repuso enseguida Alice—. ¡Claro que podéis ayudarme!

Les dijo cómo.

Millie Mixly hizo una pirueta, se metió bajo la carreta de los basureros y se agarró al eje de las ruedas. Nadie podía verla, a menos que ese alguien se arrodillase con la intención de echar un vistazo bajo el apestoso vehículo. ¿Pero quién querría hacer algo así?

Me apuesto el monedero de la reina Victoria, bien abarrotado de billetotes, a que nunca te has metido debajo de una carreta llena de caca. ¿A que no? ¿Lo ves? Lo sabía. Si quieres colar a alguien en un lugar vigilado, usa una vieja carreta de basura. ¡Siempre he pensado que sería una buena táctica para robar un banco! Lo que pasa es que no se me ha ocurrido cómo puede entrar la carreta al banco sin despertar sospechas. Si se te ocurre una buena excusa, por favor, compártela.

Una vez que la carreta superó la puerta del hospicio, Millie salió.

—Solo tardaremos diez minutos —dijo el basurero bajito—. Esto está casi vacío. Mañana tardaremos por lo menos el doble, con toda la gente que va a venir. Dile a tu hermano que no tarde más de diez minutos en llegar. No podemos esperar aquí.

Los basureros comenzaron su ronda mientras Millie salía corriendo en busca de su hermano gemelo. Tuvo suerte.

Martin estaba sentado ante un escritorio justo al lado de la entrada con una pluma y un tintero, anotando los ingresos en el hospicio. Los de la cola se pararon y aguardaron atontados como burros mientras Martin hablaba con su hermana. No tardó en explicarle

el trabajo que hacía y le mostró la hoja que tenía que rellenar.

Fecha	Nombre	Clase	Edad	N.º
14 Mar. 1837	Mixley, Martin	M	10	001
"	Ciego, Mendigo	E	55	002
15 Mar. 1837	Jones, John	H	30	003
"	Jones, Jane	M	30	004
"	Jones, John junior	M	10	005
"	Jones, Jane junior	M	6	006

—Pones el nombre y la clase…

—¿Clase?

—«H» para hombres, «M» para mujeres y niños, y «E» para enfermos y viejos, ¿ves? Yo soy un niño, así que tengo una «M». Escribo sus números en un papel y se los doy. Tras bañarse, les darán un uniforme. Tienen que ponerse el número que les he entregado.

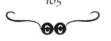

Luego los envío al mendigo y él los manda a diferentes lugares del hospicio. Las mujeres y los niños menores de seis años van a una parte, los hombres a otra, los niños de entre siete y catorce a otra, y los viejos y enfermos al hospital. Es fácil.

—¿Y si alguien viene con toda su familia? —preguntó Millie.

—Los separan —dijo Martin.

—Qué crueldad.

—Son las reglas del hospicio —asintió su hermano.

—Veo que hay un montón de John Jones —dijo Millie tras mirar la lista.

Martin se encogió de hombros.

—Cuando no quieren decir su nombre, dicen John Jones. De todas formas, no importa. Una vez que están aquí se convierten en un número. —Le entregó un trozo de papel que decía 001 y se lo colgó del uniforme—. Toma, póntelo, ahora eres Número Uno.

Millie reemplazó a su hermano en el escritorio.

—La carreta de la basura no tardará —dijo ella—. Date prisa, es la única salida. —Martin asintió y salió corriendo al patio. Millie sonrió a la familia que esperaba. No le devolvieron la sonrisa.

—¿Su nombre, por favor?

—Jones —dijo el hombre.

Los basureros esperaban afuera. Don y doña Humilde observaban a las nuevas familias y no notaron cómo Martin se metía bajo la carreta y se agarraba al eje de las ruedas.

—¡Abran paso! —gritaron los basureros.

La gente se apartó para dejarlos salir.

Los agentes Colín y Gordon estaban de pie ante el escritorio del inspector Bicher. No parecían felices.

—¿Entrasteis en las Residencias Cuchitril?

—Sí, señor —susurró el larguirucho Colín.

—¿Y permitisteis que os quitaran la ropa?

—Sí, señor —asintió el corpulento Gordon.

—¿Cómo es posible que a la maravillosa policía de Winrich le pase algo así?

Colín y Gordon se miraron.

—Había niebla, señor.

—¡Niebla! —rugió el inspector Bicher.

—Sí, señor… Habían encendido fuego en algunas habitaciones. Las paredes mojadas soltaban vapor, señor. ¡Menuda niebla había!

Qué excusa tan ridícula. Gente viviendo en casas tan húmedas que cuando se enciende un fueguecito hay niebla. Ridículo…, pero cierto. Una vez fui tan pobre que viví en una de esas casas. Era deprimente. Cada vez que caminaba entre la niebla me sentía abrumado… Niebla, bruma… ¿Lo pillas? Oh, olvídalo, nunca entiendes nada.

—Lleváis porras para defenderos de quienes se atreven a atacaros. ¿Usaste la porra, Colín?

—Sí, señor.

—¿Y a quién atizaste?

—Al agente Gordon, señor —dijo el anciano como si hablase con su bigote.

Gordon asintió.

—Casi se carga mi sombrero, señor.

El inspector Bicher se frotó los ojos, pequeñitos y oscuros como los de un cerdo.

—Volved a las calles. Mañana al mediodía llega esa visita tan importante del alcalde. Si algo sale mal…, lo que sea, usaré vuestras porras para tiraros por el puente de Winrich. Mañana es el día más importante en la historia de este cuerpo de policía. No puede salir nada mal. ¿O algo podría salir mal?

—Nada, señor —replicaron al tiempo los agentes.

El mendigo ciego acompañó a una mujer y a sus seis hijos a una habitación que parecía una celda. Las paredes estaban casi vacías pero había colchones de paja en el suelo y un cubo en la esquina. El cubo era el baño.

En una pared, como detalle decorativo, se veía un marco con un trozo de tela. Sobre la tela había una frase bordada.

La mujer (que se hacía llamar señora Jones) alzó la vista y dijo:

—¿Santiago? ¿El mismo tipo que construyó la catedral?

—¿Qué catedral? —preguntó el mendigo.

—La catedral de Santiago.

—Oh, sí… El mismo tipo. Un tipo muy listo que va por ahí tejiendo pequeños dichos para los pobres… Eso cuando no está construyendo una catedral o algo así.

—¡Si no trabajáis no comeréis, niños! —anunció la señora Jones.

Los seis niños asintieron.

—Siempre hemos trabajado, mamá —dijo la hija mayor.

Era cierto. La señora Jones se dirigió al mendigo.

—Trabajamos muchísimo. Antes hacíamos cerillas. Si hacíamos ciento cuarenta y cuatro, nos pagaban dos peniques. Cogía cartón y papel de lija y hacía las cerillas… Pero teníamos que comprarnos el pegamento. Por supuesto, cuando los niños crecieron empezaron a ayudarme. Al final ganábamos un chelín y seis peniques al día. Trabajábamos dos días y ya podíamos pagar el alquiler de la semana. A los tres días ya nos daba para comprar comida.

El mendigo ciego asintió.

—Entonces, ¿cuál fue el problema?

—Al pequeño Jacob —suspiró la señora Jones— le entró mucha hambre. Un día me descuidé y se comió el pegamento.

—Ah —asintió el mendigo—. Lo hacen con huesos de caballos viejos. Me han dicho que está muy rico el pegamento.

—Sí, muy rico —asintió el pequeño Jacob—. ¿Cuándo comemos?

—Cuando os hayáis bañado y puesto los uniformes.

La hija mayor se quedó mirando al mendigo.

—¿Qué es bañarse?

En la academia, Martin Mixly se encontraba frente a sus compañeros. Se sentía un poco raro. No solo lo miraban sus compañeros: Smiff Smith, Alice White y Nancy Nabo. También lo estaban observando Samuel Skill y Ruby Friday, sus profesores.

La señorita Friday ya les había dejado claro que el secreto de un buen secuestro estaba, antes que nada, en la planificación.

—Si vamos a mejorar la vida en el hospicio, tenemos que raptar a doña Humilde. Para que vea el poder de los pobres si no cambia. Pero no pueden pillarnos o todo será peor. Hay tres instrucciones que no debéis olvidar nunca: planead, planead y planead.

—¿No se te olvida decir, señorita Friday, que también hay que planear? —dijo Alice de mal humor.

—Es importante que nuestros secuestradores conozcan bien el plano del hospicio. También es necesario saber dónde estará doña Humilde a cierta hora y, por último, tenemos que diseñar un buen disfraz —explicó con firmeza Ruby Friday—. Bueno, Martin. ¿Dónde está ese plano?

Martin sacó un papel de la chaqueta que le habían dado en el hospicio y se lo dio a Samuel Skill, que lo colgó en la pizarra. Era un plano bastante bueno. Tenía algunas leyendas y todo.

Supondrás que Martin Mixly tenía talento para dibujar planos. No te equivocas. Muchos años más tarde se convirtió en arquitecto y construyó algunas estaciones de tren muy concurridas. Nunca hizo nada tan espectacular como la catedral de Santiago... Pero bueno, Santiago tampoco hizo catedrales... Ni estaciones de tren.

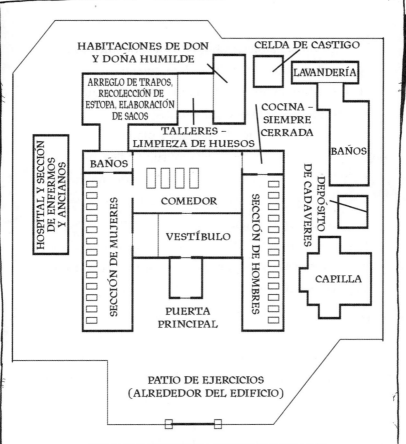

HABITACIONES DE DON Y DOÑA HUMILDE

CELDA DE CASTIGO

LAVANDERÍA

ARREGLO DE TRAPOS, RECOLECCIÓN DE ESTOPA, ELABORACIÓN DE SACOS

COCINA – SIEMPRE CERRADA

TALLERES – LIMPIEZA DE HUESOS

BAÑOS

HOSPITAL Y SECCIÓN DE ENFERMOS Y ANCIANOS

BAÑOS

COMEDOR

SECCIÓN DE MUJERES

VESTÍBULO

SECCIÓN DE HOMBRES

DEPÓSITO DE CADÁVERES

CAPILLA

PUERTA PRINCIPAL

PATIO DE EJERCICIOS
(ALREDEDOR DEL EDIFICIO)

ENTRADA PRINCIPAL (SIEMPRE CERRADA)

WINRICH

HOSPICIO ~~PARA HUMILDES~~
HORRIPILANTE

—También tengo los horarios de don Humilde y su mujer.

—¡Oh, estupendo! —exclamó Ruby Friday, que lanzó las campanas al vuelo.

Y poco faltó para que una de las campanas le aplastase la cabeza al caer... ¡Je, je! Es solo una broma. De verdad... «Lanzar las campanas al vuelo» es una de esas tonterías que dicen los escritores y que carecen completamente de sentido.

—Doña Humilde pide a gritos que la secuestren. Muéstranos el plano.

5 a.m. Los pobres se levantan y limpian las habitaciones, hacen la cama y lavan a los niños mientras los cocineros preparan las gachas en la cocina.

6 a.m. Los pobres van al comedor. Se les sirve el desayuno (un tazón de gachas a cada uno) y comen en silencio.

7 a.m. Los pobres van a los talleres y comienzan con su jornada de trabajo. Los cocineros preparan el desayuno de don Humilde: bacon, huevos, salchichas, chuletas de cordero, riñones, setas, pudin negro y pan frito con una jarra de té dulce y otra de cerveza.

8 a.m.	Don Humilde se levanta, se viste, se lava y desayuna.
9 a.m.	Los cocineros preparan un desayuno ligero para doña Humilde: lo mismo que para su marido, pero con pan tostado en vez de pan frito. Añaden panecillos con mantequilla, arenques y café
10 a.m.	Doña Humilde se levanta, se viste y desayuna.
11 a.m.	Los supervisores del hospicio hacen las cuentas.
12 p.m.	Don Humilde y su mujer van a la puerta de entrada para comenzar su ronda por los talleres, inspeccionar a los trabajadores y castigar a los vagos.
1 p.m.	Si el trabajo va bien, quizá se ofrece a los pobres un almuerzo de sopa y pan
2 p.m.	Los pobres vuelven a trabajar hasta las siete de la tarde. El matrimonio Humilde se sienta a la mesa. De menú: carne asada, patatas y zanahorias. De postre, comen pastel.
6 p.m.	Don Humilde y su mujer toman una merienda de bocadillos, pasteles, bizcochos, dulces, natillas, tartas y té.
7 p.m.	Los pobres cenan caldo y queso.
8 p.m.	Las familias tienen una hora para estar juntas mientras los niños juegan. Los Humilde reciben visitas y se sirve una cena de fiambres, conservas, queso, galletas, buenos vinos y brandy.
9 p.m.	Los pobres rezan y vuelven a las celdas. Se apagan las luces a las 9.15 p.m.

—¿Quién me puede decir cuándo nos llevamos a doña Humilde? —preguntó Ruby Friday con las cejas en alto.

Alice White levantó la mano lentamente y dijo:

—Solo hay un buen momento, ¿no es así?

Ruby Friday asintió.

—Muy bien, listilla. ¿Cuál es ese momento? —suspiró Smiff.

Alice sonrió con suficiencia, como un gato bien alimentado.

—Averígualo, cerebro de mosquito.

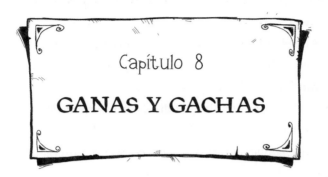

Capítulo 8

GANAS Y GACHAS

Viernes, 16 de marzo de 1837

Doña Humilde no veía la hora de que se hiciera de día para levantarse… Bueno, no la veía porque, aunque ya casi eran las seis de la mañana, estaba muy oscuro como para ver el reloj. Además, era algo cegata.

Tuvo que hacer un esfuerzo enorme para levantarse de la cama a esa hora. Hasta tuvo que pedir que le enviaran el desayuno a la cama para ahorrar tiempo. Era un montón de comida, así que tardó un buen rato en acabar, pero antes de las seis y media ya se estaba poniendo su mejor vestido.

—¿A qué hora llegan nuestros visitantes, pichuelo mío? —preguntó a su marido.

—A mediodía, mi corazón. Depende de la marea, pero supongo que el alcalde ya los estará recibiendo en el puerto del sur. Los va a llevar a su casa para que descansen del viaje. Luego, hacia las once y media, la visita va a venir en el carruaje del alcalde para ver cómo trabajan los pobres. Cuando le hayamos enseñado el edificio, ya será hora de ver comer a los pobres.

—Vamos al comedor para que practiquen —dijo doña Humilde—. No queremos que se comporten como cerdos en una cochinera, ¿verdad?

La pareja emprendió el camino al comedor, donde los esperaban en silencio. Habían dado instrucciones al cocinero para que no sirviese a nadie hasta que llegaran los Humilde. Los pobres estaban sentados en largos bancos. Todos tenían ante sí un tazón y una cuchara. Nadie hablaba. Hasta los bebés estaban demasiado débiles como para animarse a llorar.

—Hoy vamos a recibir una visita muy importante —anunció doña Humilde con una sonrisa—. Si os portáis bien, ¡quizá os demos carne en la cena!

—O quizá no —susurró el marido.

—Hay diez filas de diez personas. Os sentáis ahí, con el Número Uno al frente, a la izquierda, y seguís

en orden hasta llegar al Número Cien, en la otra punta, a la derecha. Los números uno a diez se pondrán en fila y recibirán un tazón de gachas —dijo, señalando la primera fila—. Después, volvéis a vuestros sitios. Pero nadie empieza a comer hasta que se ha terminado de servir a los cien. Todos empezaréis a comer al mismo tiempo. Se ve mucho mejor así. ¿Queda claro?

La miraban filas y filas de ojos inexpresivos.

—Disculpe, doña Humilde —dijo el cocinero—. Llevo una hora cocinando esta porquería.

—¿Y?

—Y que no estarán esperando que yo la sirva. No pienso hacerlo. Estoy aquí para cocinar, no para servir.

Siempre tiene que haber alguien así, ¿verdad? Alguien que hace solo su trabajo y no quiere mover un dedo para nada más. Como el profesor que dice: «A mí solo me pagan para atizar a los niños hasta que aprendan, no para vigilarlos durante el recreo». O el taxista que te recrimina: «Me pagas para que te lleve a la estación, no para que cargue con tus maletas hasta el tren, vejestorio». Por otra parte, a mí solo me pagan para contarte la historia del secuestro de Winrich, no para divagar sobre profesores o taxistas. Así que sigo con lo mío.

Doña Humilde suspiró.

—Muy bien, Número Uno te ayudará.

—Es demasiado pequeño —dijo con desdén
el cocinero, mirando a Millie Mixly—. ¡Y no es de fiar!

—¡Claro que lo soy! —gritó Millie enfadada.

El cocinero la apuntó con un cazo mugriento.

—Ayer llevabas botas marrones… Hoy son negras.
Los pobres no se pueden permitir dos pares de botas…

—Ah… Ah… Ah… —La boca de Millie se movía
como la de un pez fuera del agua—. ¡Limpié mis botas
marrones con betún negro por error!

—Sigo sin fiarme de ti, muchacho. No te quiero
cerca de mí.

Doña Humilde apretó las mandíbulas.

—Entonces te ayudará Número Dos.

—Soy ciego —dijo el mendigo.

—¿Y? Es una pésima excusa. —La cara de doña
Humilde empezaba a estar roja de ira—. Sube a ese
estrado y haz lo que te dicen o te castigaremos.
¡Pasarás un día entero en la celda de castigo! —dijo
con rabia y bajó la voz—. En ese lugar no hay una sola
ventana. ¿Te gustaría ver eso? ¿Quieres estar encerrado
a oscuras todo un día?

—¡Oooooh! ¡Qué miedo! —dijo el mendigo ciego—. Serviré la comida, ya veréis.

Obvio. A una persona ciega no le molestaría que la celda estuviese a oscuras. ¿Crees que no lo sé? Así que no empieces a dar saltitos, como si acabaras de descubrir que el agua moja, y a decir: «¡Qué tontería!».

El mendigo subió al estrado y cogió el cazo.

Doña Humilde dio unas palmadas con sus manos regordetas.

—Del uno al diez… menos el Número Dos… Preparaos…, esperad…, y… ¡Ya!

Los pobres, con Millie Mixly al frente, hicieron cola ante la mesa en la que había una olla de hierro llena de gachas. Tras recibir la masa gris en sus platos, volvían a sus sitios.

Todas las gachas se sirvieron. Todas las gachas desaparecieron.

—Ahora, a dar las gracias al Señor. ¡Nuestra visita esperará que lo hagamos! —explicó don Humilde.

Tras escuchar esto, los pobres hablaron. Hablaron con una sola voz, pero no dijeron lo que esperaba oír don Humilde. Era la oración de los pobres.

ORACIÓN DE LOS POBRES

Muchas gracias, Señor, por los restos de comida,
si comiera un poco más, qué contento me verías,
pero me va tan mal llevando esta pobre vida,
que comer este poquito es mi única alegría.

—¡Basta ya! —gruñó Humilde—. Acabemos con esta pobre comedia, doña Humilde, antes de que pierda la paciencia con estos desgraciados desagradecidos.

En la Academia de Truhanes del Profesor Randa los estudiantes comían pan fresco con mantequilla. Bebían té azucarado y, sentados ante el fuego, planeaban el día. En la sartén chisporroteaban las salchichas, y las llamas se avivaban cuando caía grasa en el carbón.

—Es al mediodía, ¿no es cierto? —dijo Smiff—. Dijiste que solo había un buen momento para secuestrarla. Es al mediodía.

Alice sonrió con crueldad.

—¿Y te llevó toda la noche averiguarlo?

—¡Alice! —dijo Ruby Friday secamente—. No te metas con tus compañeros. ¿Recuerdas las reglas?

Alice frunció el ceño.

—Perdona, Smiff. Tienes razón. El único momento en que podemos secuestrar a doña Humilde es al mediodía. Es cuando la carreta de los basureros llega al hospicio. Tardan veinte minutos en completar su ronda, así que nos llevamos a la bruja a las doce y veinte. Sabemos dónde estará a esa hora:

en el vestíbulo, lista para comenzar su ronda. Tenemos el horario de Martin.

—Dos cosas más —asintió Ruby Friday—. Tenemos que saber con certeza quién es doña Humilde.

—Es muy fácil —interrumpió Martin Mixly—. Es la gorda del vestido blanco con mangas púrpuras y delantal del mismo color.

—La reconoceré al verla —dijo Nancy—. Pero si está muy gorda, hasta a mí me costará llevarla a rastras.

—Contemos con que se resistirá. Tendremos que taparle la boca y cubrirle la cabeza con un saco antes de que pueda hacer ruido —les recordó la profesora.

—Cuando Nancy haya hecho eso, yo ato el saco con una cuerda —sugirió Alice.

—Y alguien tiene que entretener a don Humilde durante unos minutos o vendrá a rescatar a su mujer.

—Yo me encargo —se ofreció Smiff.

—Pues ya está. Esta mañana en clase practicaremos con nuestros disfraces —dijo la señorita Friday—. No hay nada que pueda salir mal. No se me ocurre nada.

El agua sucia del río de Winrich se estancó al llegar al fin del muelle. Se encontró con el agua verdosa del

mar y trató de empujarla de la misma forma en que lo
haría un luchador. El río acabó perdiendo el combate…
como ocurría dos veces al día, todos los días.

La marea se impuso y el agua del mar arrastró la del
río mugriento a su sitio; el río oscuro, con sus restos de
carbón, sus ratas ahogadas, su lodo y su aceite, sus
trozos de botes y sogas y serrín de los astilleros, con
cestas y ramas arrastradas por la corriente.

La marea siguió avanzando y trajo con ella un yate
enorme y elegante de velas blancas que daba un brillo
mágico al aire soso. Los marineros se apresuraban por
la cubierta, bajando las velas y acercando el navío a un
bote de remos. Un marinero descalzo lanzó una soga
al bote y los remeros arrastraron la embarcación hasta
el muelle.

Había un hombre al frente del velero…, o en la
proa, por si nos ponemos técnicos y queremos emplear
los términos correctos. Era un hombre ya viejo, pero
tan estirado como el mástil del velero y con una cara tan
fría como el agua del mar. Llevaba una chaqueta
oscura de la mejor tela y una camisa de seda de gran
calidad. Pero eso no era lo que llamaba la atención de
la gente.

Todos miraban, primero, su nariz aguileña y sus ojos de ave rapaz. También se fijaban en sus botas brillantes, negras y altas, hasta las rodillas.

El velero golpeó ligeramente contra el muelle. El hombre alto caminó hasta la puerta del camarote y dijo en voz baja:

—Ya hemos llegado, señora. Estamos en Winrich.

Una voz respondió cortante desde dentro:

—Ya era hora. Hasta este deprimente lugar tiene que ser una desgracia menos difícil de sobrellevar que pasar otro día en el mar.

A continuación, la voz bufó. Parecía dar órdenes a un sirviente.

—Ponme mi mejor vestido, el púrpura. El del cuello blanco, puños de encaje y dobladillo. Supongo que tendré que ser amable con ese repugnante hombrecillo. ¿Cómo se llamaba? ¿Blister?

—Twister, señora —dijo el hombre desde la cubierta—. Sir Oswald Twister y lady Arabella. Tiene un poder considerable en esta parte de Inglaterra.

—¿Y a mí qué me importa? —replicó la voz, amortiguada ahora por el vestido demasiado ajustado que intentaba encajarse—. No será tanto como el que

tendré dentro de poco. Bueno, mientras me dé de comer bien…

—Sí, señora. Seguro que lo hará.

—Antes de ir, desayunaré… por si las moscas.

En ese momento los pobres del hospicio dejaban las cucharas en los tazones y llevaban estos a las rodillas para dar a entender que ya habían terminado.

De repente, Millie Mixly se levantó del asiento y se dirigió al supervisor, con el cuenco y la cuchara en la mano. Sorprendida ante su propio valor, pidió:

—Por favor, señor, quisiera menos.

Don Humilde se puso palidísimo. Miró asombrado al pequeño rebelde durante unos segundos y se apoyó en la mesa.

Ante tal sobresalto, doña Humilde sintió debilidad; los pobres, miedo.

—¿Qué? —dijo el supervisor, con voz entrecortada.

—Por favor, señor —respondió Millie—, quisiera menos.

El patrón apuntó con el cazo a la cara de Millie.

—¿Has oído, doña Humilde? ¡El pobre Número Uno ha pedido más!

—¿Más? —dijo doña Humilde—. Tranquilízate, esposo. ¿Estás diciendo que el pobre Número Uno se ha comido sus gachas y es tan glotón que pide más que la saludable ración que le asignamos?

—Así es, doña Humilde —respondió el supervisor.

—Ese niño acabará en la horca —dijo su esposa. Nadie discutió su teoría.

Sí, ya sé que Charles Dickens, ese famoso novelista, escribió una escena célebre ese mismo año, 1837, en la que un niño llamado Oliver pedía más gachas en el hospicio. Menuda estupidez. Absolutamente nadie que haya probado las gachas del hospicio pediría más. Imposible. Ni siquiera ese pequeño Oliver al que tanto le gustaba bailar twist. La mía, en cambio, es una historia verdadera.

—¡Número Dos! ¡Lleva a la celda de castigo a este insolente! —ordenó don Humilde.

—Tengo que encontrarla primero… —dijo el mendigo—. Soy ciego.

—Perdón —dijo Millie en una voz aflautada que se iba haciendo más fuerte y enfadada—. ¿Va a presentar cargos?

—¿Eh? —explotó Humilde—. Qué cargos ni qué cargas… ¡No pienso presentarte a nadie, idiota!

—No, señor —continuó Millie, armada de valor—. Lo que pregunto es de qué se me acusa. ¿Recuerda la Carta Magna?

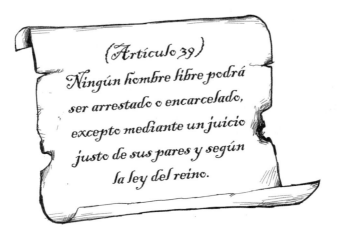

(Artículo 39)
Ningún hombre libre podrá ser arrestado o encarcelado, excepto mediante un juicio justo de sus pares y según la ley del reino.

—¿Carta qué? ¿Acaso es amiga mía? —dijo con sorna Humilde.

—Es una ley antigua… No se puede arrestar ni encerrar a nadie sin presentar cargos. Es mi derecho, como niña nacida libre…

—¿Eh? Eres niño.

—Eso... —Millie se miró los pantalones—. Mi derecho como niño nacido libre... ¡Mi derecho a la justicia y a un juicio justo! —gritó Millie, alzando un puño hacia el cielo.

Noventa y nueve pobres se quedaron boquiabiertos. Una anciana encorvada gritó: «¡Bien dicho, Número Uno!» y todos aplaudieron.

Humilde se sintió humillado y perdió el habla. Pero a volvió a encontrar al leer el lema de la pared:

—Quien no trabaje, que no coma. Es lo que dijo Santiago.

Una anciana se puso en pie.

—Trabajábamos hasta que nos echaron de las Residencias Cuchitril. Yo era modista.

—Y yo, tejedor —dijo un hombre—. Aunque con las fábricas no ganaba ni para dar de comer a un espantapájaros.

—Yo era cantante callejera —añadió una mujer—. Cantaba por dinero y cantaba por orgullo.

—Yo era organillero... ¡Hasta que esos comandos se cargaron mi instrumento al derribar nuestra casa!

Las voces se convirtieron en un rugido y los Humilde se quedaron blancos de miedo.

—¡Silencio! —aulló doña Humilde y el ruido se detuvo—. Esta tarde vamos a recibir una visita muy importante. Si piensan que estamos haciendo bien nuestro trabajo, nos darán dinero. Con el dinero os compraremos mejor comida y ropa más cómoda. Podréis trabajar menos horas y hasta podréis salir del hospicio para buscar trabajo. Os lo prometemos, ¿verdad, don Humilde?

—Cierto. ¡Prometido! —asintió.

Por supuesto, eres listo y sabes que, tan pronto se acabe la visita, la promesa será olvidada. Si alguien quiere algo desesperadamente, prometerá lo que sea. «¡Oooooh! ¡Mamá! Cómprame un helado y limpiaré la habitación, te lo prometo». Sí. Claro, claro.

Los pobres asintieron. Don Humilde miró a Millie.

—En cuanto a ti, por esta vez te perdono. Pero se acabó esa tontería de pedir más a la hora de comer.

—¿Más? —Millie frunció el ceño—. ¡He pedido menos! No soporto más ese montón de baba. ¡Prefiero morir de hambre que comer más! Pero si quiere que pida menos cuando llegue la visita, así lo haré, señor.

—¡No! —gritó don Humilde, y casi se ahoga—. ¡Queremos que los visitantes piensen que los pobres nunca han comido tan bien!

—En ese caso —asintió Millie—, quiere que pida más, ¿verdad?

—Sí —asintieron los Humilde.

—Entonces, los visitantes pensarán que nos hace pasar hambre.

Humilde comprendió la trampa demasiado tarde.

—¡No! —gimió.

—¿Entonces? ¿Qué digo? «¿Por favor, señor, quisiera un poco menos», o «Por favor, señor, quisiera un poco más?».

La frente del hombre estaba tan fruncida, que las cejas se juntaban con su pelo negro. Parecía que los ojos le iban a explotar. Nunca había pensado tanto.

—Di… di… «Por favor, señor, quisiera un poco más» —decidió.

—¡Genial! —Millie sonrió y miró a los pobres—. ¡Don Humilde ha dicho que podemos pedir más!

En el alboroto que se formó para llegar al frente, don Humilde fue aplastado como un gusano entre pájaros hambrientos.

Capítulo 9

PAPEL Y PINTURA

—El plan está en marcha —dijo Ruby Friday cuando los estudiantes de la Academia de Truhanes del Profesor Randa volvieron a clase—. Nancy Nabo, ¿está listo el escondite?

—Sí, y es el mejor escondite del mundo, señorita Friday —sonrió Nancy con timidez—. Un lugar en el que nunca se les ocurrirá mirar.

—Smiff, ¿tenemos lista la nota del rescate?

—Sí, señorita Friday —asintió Smiff, y mostró la nota a la clase. Tenía algunos tachones y manchas, pero, en general, resultaba bastante clara.

Alcalde Twister:

Doña Humilde es nuestra prisionera. Como los pobres del hospicio, no comerá más que gachas y agua hasta que nuestras condiciones sean aceptadas:

1. Los pobres comerán bien y el inspector jefe Bicher podrá comprobarlo cuando quiera.

2. Se pagará a los pobres por su trabajo y los niños no estarán obligados a trabajar. Quedarán en libertad para jugar.

3. Los pobres podrán salir del hospicio para buscar otro trabajo cuando lo deseen.

4. Las familias no serán separadas en ningún caso.

5. Los pobres recibirán vestimenta en buen estado y no llevarán uniformes que los degraden.

Si no acepta estas condiciones antes de que termine el día, don Humilde también será secuestrado. Secuestraremos a quien queramos, cuando queramos. Adivine quién será el siguiente, alcalde.

Cuelgue su respuesta en las puertas del ayuntamiento, para que todo el mundo pueda leerla.

Frente de Liberación del Pobre (FLP)

PD: Obedezca o aténgase a las consecuencias.

—Muy bien, Smiff. Ahora solo necesitamos nuestros disfraces. He traído unas bolsas de papel que podéis llevar en el bolsillo. Os las pondréis en la cabeza cuando sea necesario —explicó Ruby Friday, y entregó las bolsas a Smiff, Alice, Martin y Nancy—. Martin, tú te vas a quedar aquí para no estropear la coartada de Millie, pero puedes aprender cómo se hace para la próxima vez. En primer lugar, haced un par de agujeros, para los ojos, claro.

Smiff se tapó la cabeza con la bolsa y los agujeros quedaban tan bien como en el casco de un caballero.

Alice se puso la bolsa en la cabeza para probar. Smiff la miró y se quedó sin respiración.

—¡Oh, Alice! Ya sé que te he dicho algunas groserías.

—¿Mmm? —dijo Alice bajo la bolsa.

—Pero ahora puedo decir —dijo Smiff conteniendo la risa— que nunca te había visto tan guapa.

Hubo un silencio y Nancy y Martin se miraron, a la espera de que empezase otra pelea. Alice habló con dulzura.

—¿Smiff?

—¿Sí, querida Alice?

—¿Recuerdas a qué me dedicaba antes de venir a la Academia de Truhanes del profesor Randa? —preguntó.

—Hacías cerillas, Alice.

—Hacía cerillas. Y quizá te interese saber que todavía las tengo —dijo en voz baja.

—Me alegro por ti, Alice —dijo Smiff.

—Así que me pregunto, ¿qué pasaría si tiro una cerilla encendida ahora que llevas esa bolsa de papel en tu despreciable cabeza? —preguntó.

Smiff se quitó la bolsa y la dejó en la mesa.

—¿Por qué no lo intentas, cerillerita? —preguntó con una sonrisa.

En medio de este episodio, siento la obligación moral de decir: «No intentes esto en casa». Si alguien con una bolsa de papel en la cabeza te molesta, no es buena idea prenderle fuego a la bolsa. Puede que toda la casa sea consumida por las llamas. Y lo peor, se malgastaría una buena bolsa de papel.

Alice se quitó la bolsa.

—Te odio, Smiff —dijo.

Smiff continuó con la burla:

—¡Oh, Alice! ¡Vuelve a ponerte la bolsa en la cabeza, por favor!

La muchacha apretó los puños y Ruby Friday sintió que era el momento de intervenir.

—Creo que sería una gran idea decorar las bolsas de forma que confundamos a la policía… Sobre todo, por si alguien os ve y os denuncia.

Cogió una caja de pinturas del armario y distribuyó pinceles y agua a los estudiantes.

Smiff dibujó el rostro de un hombre de pelo oscuro con gafas y bigote negro: podría haber sido Samuel Skill. Alice pintó un muchacho despeinado que se parecía un poco a Smiff. Nancy se decidió por la cara de un gato y Martin optó por una de cerdo.

Ya estaban limpiando los pinceles cuando el señor Skill entró en la habitación, a toda prisa, con la bufanda roja y blanca a sus espaldas como una nube de verano y el sombrero de copa ladeado.

—Bueno, clase, la visitante del alcalde Twister está en Winrich. La están trasladando a la mansión de sir Oswald ahora mismo —anunció.

—¿Una mujer? —se sorprendió Smiff.

—¿Quién es? —preguntó Alice.

—No la he reconocido. —Skill se encogió de hombros—. Seguramente es una dama muy importante, porque lleva guardia armada en el velero… Un anciano alto está al mando y tiene una tropa de diez hombres con uniformes del ejército británico.

—¿Podemos verlos cuando desfilen? —preguntó Martin, ilusionado.

—Se quedaron en el velero. Quizá piensen que la dama estará a salvo con el alcalde Twister —opinó el profesor.

Ruby Friday estaba satisfecha con las noticias.

—El alcalde estará tan ocupado con esta visita que el secuestro de doña Humilde será más sencillo.

—Los soldados y su capitán me preocupan —dijo Samuel Skill.

—Ayudé al duque de Wellington a ganar la batalla de Waterloo —se rio Ruby Friday—. Tengo experiencia en eso de tratar con soldados, ¡no te preocupes!

El agente Colín y el agente Gordon estaban frente al escritorio del inspector, en el sótano de la comisaría de la calle Mayor.

—Perdisteis vuestros pantalones —dijo el inspector—. *La Estrella de Winrich* ha dejado claro a todo el mundo que los agentes de policía de Winrich son unos payasos.

—Recuperamos los pantalones —musitó Colín—, señor.

—No. Los comandos del alcalde Twister los recuperaron.

—Llenamos el hospicio —señaló Gordon.

—No. Los comandos del alcalde Twister llenaron el hospicio. ¿A cuántas personas arrestasteis?

—Bueno —dijo Colín con entusiasmo—, ¡arrestamos a ese mendigo ciego!

—Y a ese tipo que estaba en la esquina de la calle Mayor… ¡El mendigo ciego! —añadió Gordon.

—Eh… ¿He mencionado ya a un hombre ciego que encontramos mendigando?

—¡Basta! —rugió el inspector Bicher y golpeó la mesa con sus descomunales puños. Toda la comisaría tembló—. Aquí tenéis otra oportunidad para demostrar a la gente… y a una VIP…

—¿Qué es una *beep?* —preguntó Gordon.

—VIP, o *very important person* —explicó el inspector, poniendo cara de persona instruida—. Son siglas.

—¿Sillas? ¿Para qué sillas? —se confundió Colín.

—No importa, agente. Lo que nos interesa es que el alcalde Twister llevará a nuestra visitante ilustre a conocer el pueblo esta tarde. Y yo os quiero a los dos en las calles.

—¿Para barrerlas, como la otra vez?

—Sí. Para quitar a los vagos y maleantes de en medio, para que no haya atascos de tráfico, ni peleas de perros, ni animales callejeros. Tomad —dijo, entregándoles una hoja de papel.

Órdenes para la patrulla VIP.

Fecha: 16 de marzo de 1837

Sacar brillo a los botones y las botas, y cepillar los uniformes.

Dirigirse a las calles principales del pueblo.

Patrullar sin pausa y en estado de máxima alerta. Que NO haya animales de granja de camino al mercado, NI perros o gatos callejeros, NI mendigos, NI vagabundos.

Verificar que todos los tenderos barran la acera situada frente a su tienda.

Detener a todos los vehículos que vayan por la misma calle que el carruaje del alcalde Twister y su invitada.

En caso de recibir la solicitud de caminar delante del carruaje, como guardias de honor, obedecer sin réplica y sin hacer comentarios.

Montar guardia a la puerta del hospicio tras la llegada del carruaje.

Winrich depende de su fuerza policial. Ya lo dijo el alcalde Twister: "Vuestras porras son las antorchas llameantes de la libertad. Llevad luz a la oscuridad de nuestras calles salvajes".

Inspector jefe Bicher

—¡Ooooh! —dijo el agente Gordon—. Qué trabajo tan importante.

141

—Pero alguien tiene que hacerlo y es un orgullo que sea nuestro deber —añadió Colín, con el pecho henchido de emoción y dejando salir algunas lágrimas.

—¡Somos porras llameantes! —lloriqueó Gordon.

—Todavía no… Pero os aseguro que os prenderé fuego si seguís mojándome la alfombra —soltó Bicher—. Fuera de aquí.

El alcalde Twister se encontraba de espaldas a la chimenea. Lady Arabella estaba sentada en el sofá junto a la invitada VIP y miró a su marido.

—Me enorgullece darle la bienvenida a Winrich, señora —dijo el alcalde—. Es un honor.

—Ya lo sé —dijo la mujer, de mal humor.

La importante invitada era bajita y rechoncha, y tenía un mohín en el hociquín que resultaba propio de un borriquín. Hablando de borricos, devoraba té y bollitos con mermelada en su tentempié matutino.

—Cuando su querido tío pase a mejor vida…

—Ya le queda poco —interrumpió la invitada, que sorbió el té con ganas. Y con ruido.

—Cuando se muera, estaremos, por supuesto, orgullosísimos de serle de utilidad… Y quizá nos

conceda el honor de nombrar ciudad a nuestro humilde pueblo —dijo el alcalde Twister, frotándose las manos.

—Quizá —dijo la dama, con la boca llena de bollo—. Depende de que me guste el lugar o lo encuentre vulgar. No tiene pinta de ser gran cosa.

—Por cierto, estamos en medio de un proyecto de fabricación de navíos de guerra para la armada… Navegarán por el mundo hasta los rincones más recónditos del imperio británico, y traerán gloria a la ciudad de Winrich…

—Pueblo de Winrich —aclaró ella.

Ya han pasado sesenta años. Winrich nunca llegó a ser ciudad y dudo que alguna vez lo sea. Creo que la vieja reina le cogió manía a Winrich. En cuanto al alcalde Twister, quería que lo llamasen alcalde lord Twister. El detalle es insignificante, lo sé… Quizá me esté volviendo rencoroso en mi vejez, pero ¡cuánto me alegra que no lo consiguiese!

—Ah…, sí… En su día construimos los mejores navíos dedicados al noble comercio de esclavos que jamás hayan surcado los mares. Una gran contribución a la riqueza de nuestra patria.

La mujer alzó la vista, severa.

—La esclavitud se prohibió hace tres años —dijo—. Váyase a América si quiere conservar sus esclavos.

—Ah…, claro…, tiene razón… Pero quería decir…

—Y en Londres no hablamos jamás de trata de esclavos. No es un tema de conversación de mi agrado —dijo la mujer y se puso en pie. Era incluso más bajita que el alcalde—. Ahora, me voy a descansar. Luego acabaré con esto.

Los planes de Ruby Friday estaban listos. Ahora tenía que esperar hasta el mediodía. Quedaba tiempo para dar un paseo y aclararse la cabeza bajo el frío y húmedo aire de marzo. No podía haber ningún error.

Caminó por la calle Mayor hasta el final del puente. Al otro lado estaba el hospicio, cerrado con barrotes, casi en silencio. Solo se oía el extraño golpeteo de un martillo picando piedras.

En medio de la neblina, los cascos de los caballos golpeaban delicadamente los adoquines y las gaviotas graznaban con tristeza y se sumergían entre los botes de los pescadores.

Bajo el puente era posible ver el velero enorme y elegante que les había descrito Skill. Diez soldados formaban una línea en el muelle y hacían ejercicios militares. Vestían pantalones azul marino y casacas rojas con una cruz blanca. Llevaban mosquetes largos, con cuchillos en la punta, para apuñalar y destripar a los enemigos que se acercasen demasiado.

El sargento les ordenó formar dos filas de cinco. Los cinco situados al frente se arrodillaron. Eran más rápidos que peces voladores cuando se trataba de cargar sus armas. Dispararon una salva de fogueo en dirección al río y asustaron exactamente a sesenta gaviotas que salieron chillando. En una fracción de segundo, los cinco de atrás ya habían disparado y los de enfrente estaban listos para hacerles eco.

Eran buenos soldados, Ruby lo sabía. Los mejores del ejército británico. Ella había pasado la vida entre militares y nunca había visto un grupo mejor preparado. Sus rostros eran duros, como el cemento del muelle. ¿Qué había dicho el viejo duque sobre sus propios hombres en plena guerra contra España? «No sé qué efecto tendrán en el enemigo estos hombres, pero, por Dios, a mí me aterrorizan». Estos diez eran hombres verdaderamente terroríficos.

Ruby Friday sonrió.

—¡Es la compañía del mismísimo duque de Wellington! —se rio. Buscó al oficial al mando, pero no estaba a la vista.

Un viejo caballero bajaba del velero. No llevaba uniforme, pero supuso que era el que daba las órdenes. Su cabello blanco y sus patillas formaban rizos bajo el sombrero. La compañía se puso en posición de firmes cuando se acercó el anciano.

Ruby Friday forzó la vista. Se frotó los ojos y volvió a mirar. No podía tratarse de una confusión. Incluso desde el puente, tan lejos de la embarcación, podía ver su nariz enorme y sus largas botas blancas.

—¡Que me fusilen los franceses! —exclamó—. ¡El duque de Wellington en persona! ¿Qué estará haciendo en Winrich?

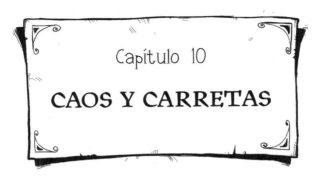

Capítulo 10

CAOS Y CARRETAS

Los nuevos basureros estaban sentados en su carromato al final del puente. Alice les dio las últimas instrucciones. Estaban a punto de dirigirse al hospicio cuando oyeron gritos.

—¡Abran paso, por favor! ¡Quiten ese carromato del puente!

Los agentes Gordon y Colín habían llegado a la calle del Puente desde la calle Mayor y apartaban a la gente con sus porras. Se acercaron a la carreta de la basura entre jadeos y bañados en sudor.

—¡A un lado! ¡Moved esa peste! —gritó Colín—. El carruaje del alcalde Twister está a punto de pasar.

No permitiremos que se quede atascado tras un vehículo tan lento.

Gordon tomó las bridas del caballo y llevó al animal hacia la acera. Después, se puso a correr de nuevo. En cuanto la maloliente carreta llegó a la acera, el carruaje del alcalde Twister pasó traqueteando y chirriando, traquerriando y chiqueteando.

Los cascos de los caballos soltaban chispas contra los adoquines y el movimiento hizo temblar el imponente puente de Winrich.

Tendría que haber leyes contra el exceso de velocidad en pueblos como Winrich. Y hoy es todavía más peligroso, con esos apestosos automóviles que han inventado. El problema es que la policía no puede atrapar a los carruajes y coches que sean realmente rápidos, ¿verdad? Bueno, al menos los policías más viejos, como Colín y Gordon, no verían ni el humo. Quizá esa ley no sea tan buena idea, después de todo.

Los perros se desperdigaron y los gatos se escondieron. Las botas de Colín y Gordon, que corrían hacia la entrada del hospicio, soltaban tantas centellas como los cascos de los caballos. Los agentes levantaron sus porras a manera de saludo.

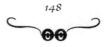

El carruaje derrapó y rebotó un poco al girar hacia la entrada del hospicio de Winrich. El día de la inauguración del edificio, el letrero que había a las afueras anunciaba:

HUMILDE
HOSPICIO
HOSPITALARIO

Pero don Humilde se había subido a una escalera con un trozo de carbón para añadir palabras más cálidas:

Viembenidos hat
HUMILDE
HOSPICIO
HOSPITALARIO

Las puertas se abrieron en el momento en que llegó el carruaje y se cerraron en cuanto pasó. Todo sucedió tan rápido, que Alice no pudo ver lo que ocurrió a continuación.

Por eso el plan salió mal.

El alcalde Twister se bajó de un salto y mantuvo la puertecilla abierta. Sonrió nervioso a los Humilde. Doña Humilde, ataviada con su mejor vestido azul y un gran sombrero a juego, hizo una reverencia. Don Humilde se quitó el sombrero y se inclinó.

La importantísima visitante, que cubría la majestuosidad de su cuerpo con un elegante vestido púrpura, bajó seguida de lady Twister, que iba de verde guisante.

—En nombre de los cien felices pobres, le damos la bienvenida a la prisión Darlham —saludó don Humilde.

—¡Ya no estamos en la cárcel! —le susurró su mujer.

—¿Qué?

—Que no estamos en la cárcel.

—¡Uy! —dijo el supervisor del hospicio y trató de corregir su metedura de pata con una sonrisa—. No estamos en la cárcel. Estamos en un lugar feliz lleno de gente feliz que disfruta de su trabajo feliz.

—¡Oh, por favor! —dijo la pequeña visitante con un gesto de desprecio—. Nada de discursos. Acabemos cuanto antes.

Tras ese cálido saludo, el alcalde abrió el camino hacia la puerta principal del edificio.

Eran exactamente las doce del mediodía. El reloj del ayuntamiento hizo «din, don» y todo eso. Otra campana, menos potente, hizo coro con un «tilín, tilón».

—¡Disculpe! —dijo don Humilde—. Alguien llama a la puerta. ¡Serán los basureros! —Se dirigió a la puerta y quitó la tranca.

Alice había ido corriendo a la entrada del hospicio pero le cerraron la puerta en las narices.

—¡Que se pudra el cielo! —gruñó.

Esa horrible fórmula discursiva era una de las más repetidas por Ruby Friday. A veces los adultos transmiten a los jóvenes costumbres repugnantes, como decir palabrotas e introducir un insulto cada tres palabras. Adultos, ¡deteneos ya! Y vosotros, jóvenes lectores, no les sigáis el juego. Mi deber, por desgracia, es transmitir con fidelidad los hechos y palabras que atañen a esta historia. Pero eso no significa que tengas que repetir lo que ves aquí.

Alice corrió hasta la carreta de la basura. Levantó la cubierta de lona que habían echado en la parte de atrás. Habían limpiado la carreta a fondo. Sin embargo, su olor era un grado más fuerte que el de la axila de un minero. Smiff y Nancy bajaron de un salto, se metieron bajo el carromato y se agarraron al eje de las ruedas.

Con la bolsa de papel en la cabeza, Alice les hizo un gesto a los basureros, que dieron un golpecito al caballo. Se dirigieron a la entrada.

—¡Alto! ¿Quién va? —dijeron los agentes.

Más tarde, cuando colgaron el cartel de «SE BUSCA» por todo el pueblo, recordarían todos los detalles de ese rostro…

Alice echó un vistazo entre los agujeros de su máscara.

—Ya lo veis. Son los nuevos basureros, los mismos que arrestasteis. Este es su castigo… Limpiar los retretes del hospicio durante una semana.

—Así es, pequeño —dijo Gordon, que dio una palmadita a Alice en su cabeza de papel. Frunció el ceño. Su intuición le decía que había algo que podía ser considerado sospechoso. Decidió ignorar a su intuición, pues nunca había sido de mucha utilidad.

SE BUSCA

MUCHACHO MISTERIOSO
PELIGROSO SECUESTRADOR
CABEZA SEMICUADRADA, CABELLO OSCURO, OJOS
AZULES, BOCA AMPLIA, FALDA (PARA ENGAÑAR
Y HACER CREER QUE SE TRATA DE UNA NIÑA),
BOTAS MARRONES, PIEL MORENA.

RECOMPENSA POR SU CAPTURA
VIVO O MUERTO
10 GUINEAS

Gordon extendió el brazo y tiró de la campana.

El reloj del ayuntamiento estaba dando las doce cuando las puertas se abrieron y apareció la cara plana de don Humilde.

—¿Qué queréis? —preguntó.

—¡Los basureros! —gritó Gordon—. No hay peligro. Ya hemos revisado.

El supervisor frunció tanto el ceño que sus pobladas cejas casi parecían un pañuelo sobre la nariz.

—Hoy tenemos visita. Tenemos que ser muy cuidadosos.

—Ya hemos mirado —aseguró Colín.

—¿Mirado? ¿Habéis mirado bajo esa cubierta de lona? ¡Puede haber un ejército de asesinos escondido! —gritó el supervisor del hospicio.

—Bueno, no se esconderían en un montón de caca, ¿o sí? —alegó Gordon.

—Y nuestro trabajo no consiste en meter las narices en la basura —refunfuñó Colín.

Don Humilde dio varias zancadas hasta la parte trasera de la carreta y levantó el toldo.

—¡Ja! ¿Lo veis?

—¡Lo vemos! —gritó Colín—. ¡Un ejército
de asesinos! ¡Oooooh! ¡Voy a buscar ayuda!

—No te vayas, pedazo de cobarde. Me refiero
a que podeis ver que el carromato está limpio y vacío,
y no lleno de caca, como creíais.

—¡Así es! Entonces, todo está en orden. —Gordon
hizo una señal a los conductores—. Adelante.

—Volvemos en veinte minutos —dijo el basurero
bajito despertando al caballo con su fusta.

—Para pasar por aquí hace falta que un asesino
sea muy listo —se rio Gordon, una vez que retomó
su puesto a la entrada.

—¿De verdad? —preguntó Colín.

—Bueno… Sí. Somos Colín y Gordon, los mejores
agentes del cuerpo policial de Winrich. Somos demasiado
sagaces como para caer en una trampa —dijo Gordon.

Los agentes arrastraron sus fríos pies por el suelo.
Tenían una mirada un tanto inquieta a pesar de las
sonrisas.

—Oh, sí. Somos unos verdaderos linces.

El viento que llegaba desde el río acariciaba el
bigote largo y blanco de Colín. Los policías se quedaron
callados un momento. Al fin, Gordon dijo:

—Ese muchacho…

—¿Sí?

—Cuando le di una palmadita en la cabeza…

—¿Sí?

—… Crujió.

—Yo también escuché crujir.

—Qué raro, ¿no? Pobre chico.

Desde la esquina suroeste del hospicio, Alice observaba la carreta de la basura, que terminaba su ronda y se acercaba a ella. Corrió hasta la esquina sureste, con la bolsa de papel ondeando al viento sobre su cabeza, y le hizo un gesto a Smiff. El muchacho, con su máscara de adulto, entró corriendo por la puerta principal. El grupo de visitantes estaba en el vestíbulo, admirando el retrato del alcalde Twister, que sonreía con la gracia de la calavera de una bandera pirata.

—¡Fuego! —gritó Smiff—. Rápido, don Humilde. ¡Hay fuego en la celda de castigo!

El supervisor salió disparado por el vestíbulo, pasó ante los asombrados pobres, que esperaban su cena, y entró en la oscura celda.

—¿Fuego? ¿Dónde hay fuego? —refunfuñó Humilde.

—¡Ahí! —señaló Smiff—. ¡En esa habitación!

Cuando Humilde se inclinó para mirar, Smiff lo metió de un empujón y cerró la puerta.

Quizá don Humilde gritase: «¡Socorro! ¡Dejadme salir!». Pero, si lo hizo, nadie oyó nada, pues las paredes eran tan gruesas como la cabeza de los policías de Winrich y las puertas más sólidas que sus porras.

Smiff corrió de vuelta por el comedor y saludó a Millie al pasar a su lado. Los Twister, doña Humilde y la invitada parecían asustados.

—Don Humilde se encargará del problema —dijo Smiff rápidamente—. Me ha pedido que los invite a pasar al comedor. La cena está servida. ¡Por aquí!

Mientras los visitantes se dirigían al salón, Smiff levantó la mano y señaló.

—Nancy, es la de ahí… La del vestido púrpura.

Nancy, que llevaba muy bien puesta la bolsa de papel con cara de gato, se detuvo un momento… «Es la gorda del vestido blanco con mangas y delantal púrpura». Así había descrito Martin a doña Humilde. La mujer estaba alimentada con generosidad, eso era

innegable, pero el vestido era púrpura con mangas blancas, no blanco con mangas púrpura. Nancy suspiró ante la torpeza de su compañero de clase… Así eran todos los chicos, incapaces de entender nada de vestidos femeninos. Martin no se había fijado bien.

Ni Smiff ni Nancy vieron a doña Humilde, vestida de azul, mientras abría la puerta del comedor para dar la bienvenida a los visitantes.

—Después de usted —dijo el alcalde Twister a su invitada.

—¡No! —le susurró Smiff—. ¡El comedor está hecho un desastre! Es mejor que vaya con lady Twister a limpiar.

El alcalde sonrió aterrorizado.

—Discúlpenos… Nosotros… La alcaldesa y yo… Necesitamos asegurarnos de que todo esté en orden.

Oswald Twister dio un empujoncito a su mujer para que entrase y cerró la puerta.

La visitante parpadeó. Smiff le dedicó una sonrisa.

—Quería leerle un poema que le he dedicado —dijo. Estaba de espaldas a la puerta mientras Nancy se deslizaba con sigilo detrás de la invitada. El muchacho recitó:

Nos gusta mucho rezar juntos el padrenuestro.
Qué buen momento, querida Nancy, para un secuestro.

Nancy cubrió la cabeza de la mujer con un saco de la tienda de cabezas de cordero y le tapó la boca con la mano para que no pudiese gritar. La mujer se resistió, obligando a la muchacha a dar un traspié mientras la arrastraba hacia la puerta.

Tuvo que emplear toda su fuerza para levantar a esa mujer regordeta y sacarla por la puerta antes de que los demás descubriesen lo que ocurría.

Alice esperaba con una cuerda, que ató firmemente alrededor del saco, de modo que los brazos de la importantísima invitada quedaron pegados al cuerpo. La víctima ya no pudo moverse. La carreta de la basura dobló la esquina en el momento justo y echaron el saco, con todo su contenido, en la parte de atrás.

Sí, tienes razón lector curioso y casi listo. Como dices, la carreta ya no estaba vacía. Iba cargada con los desperdicios que habían recogido nuestros buenos basureros en el hospicio. Un detalle triste, pero inevitable.

Echaron la cubierta de lona encima y Smiff corrió a abrir la puerta antes de meterse bajo el carromato junto a Nancy.

Los policías levantaron las porras en señal de saludo hasta que se dieron cuenta de que se trataba de la carreta de la basura y no del carruaje del alcalde.

—¿Queréis registrar la carreta de nuevo? —preguntó Alice, oculta tras su máscara.

La enorme nariz del agente Gordon se arrugó ante el olor de la carreta.

—Pues no creo —dijo—. A menos que estéis robando basura otra vez.

—No, agente —sonrió Alice—. ¡Llevamos algo mucho más asqueroso!

—¡Ja, ja! —se rio el policía—. ¡Adelante!

Alice guió al caballo por el puente y la carreta dobló por la calle Mayor con toda su peste. La gente apartaba el rostro y se cubría la nariz a su paso. Smiff y Nancy se bajaron del eje de las ruedas cerca de la Academia de Truhanes del Profesor Randa.

El muchacho fue corriendo hasta la escuela. Nancy, por su parte, se subió junto a los basureros y les susurró la siguiente parte del plan.

—¿Adónde la vais a llevar? —preguntó Alice.

—Es un secreto —negó Nancy con la cabeza—. Ya lo dijo Ruby Friday: cuanta menos gente lo sepa, mejor.

—¡No te fías de mí! —Alice parecía furiosa, incluso con la máscara puesta.

—Claro que me fío… Pero si no sabes adónde voy, no podrás traicionarme. Si la policía te torturase, quizá estarías obligada a contarlo todo. Y después te arrepentirías muchísimo, Alice.

La bolsa de papel con el dibujo del muchacho asintió y su ocupante se volvió para seguir a Smiff.

La carreta de la basura continuó su camino.

¿Hacia dónde iba la carreta? Yo tampoco puedo decírtelo. Pero puedo dar fe de que el sitio elegido era justo lo que había prometido Nancy: «El mejor escondite del mundo, señorita Friday. Un lugar en el que nunca se les ocurrirá mirar».

Alice y Smiff se quitaron las máscaras y entraron corriendo en la clase. El señor Skill y Martin los esperaban.

—¿Y bien? —preguntó Skill.

—Perfecto —gritó Alice—. Simplemente perfecto.

Los agentes estaban de pie frente a la puerta cuando un golpe de brisa marina la abrió.

—¡Vaya! —dijo Gordon—. Los basureros no la cerraron al salir. No queremos que se nos escapen los pobres. Mejor vamos y le echamos la barra.

Cruzaron el patio.

Desde el hospicio llegaba un jaleo que recordaba el rumor de un tren que se acerca. Había comenzado, muy levemente, cuando el alcalde Twister puso el primer pie en la habitación. Ahora era tan intenso que se podía oír desde fuera.

Millie se había levantado para decirle al alcalde Twister: «Por favor, señor, quisiera un poco más». El plan era que el resto de los pobres se uniría a ese clamor. El alboroto sería tal, que nadie notaría la ausencia de doña Humilde… Al menos hasta que se hubiese alejado la carreta de la basura.

Así que Millie se levantó de un salto y dijo:

—Por favor, señor, quisiera un… ¿Eh? ¿Qué hace ahí doña Humilde?

—¿Qué dices? —preguntó el alcalde. Miró a la mujer, ataviada con su mejor vestido azul y un sombrero que hacía juego—. Trabaja aquí, estúpido.

—Sí, lo sé, pero se suponía que iban a… —comenzó a decir Millie, pero el mendigo la interrumpió.

—¡El muchacho ha pedido más comida!

—Sí —gritaron los pobres—. ¡Queremos más! ¡Queremos más!

No tardaron en rugir todos juntos. La ola de sonido asustó a los agentes cuando entraron en el comedor.

—¿Algún problema? —preguntó Gordon al alcalde.

—Poca cosa. Una revueltilla por la comida.

—No —gritó Colín para que pudiese oírlo—. Lo que queremos decir es si hay algún problema con la VIP.

El alcalde Twister miró alrededor. Los ojos se le abrieron como platos. Movió la boca pero no emitió ningún sonido. Corrió hasta la puerta y miró en el vestíbulo. Se topó con su rostro en el retrato.

Fue a toda velocidad hasta el patio, donde el cochero dormitaba sentado en el carruaje.

—¡James! ¿Has visto a nuestra invitada?

—No, señor… Y me llamo Jack.

Sir Oswald Twister volvió al comedor, donde ya había cesado el ruido.

—Arabella —preguntó—, ¿dónde está nuestra invitada?

—¿En el vestíbulo? ¿O quizá en su carruaje?

—No, no está ahí —informó el alcalde con un tono de voz que recordaba a una rana afónica.

Lady Twister, en cambio, tenía todo un vozarrón.

—¡La han secuestrado! —aulló.

Nerviosísimo, el alcalde agarró al agente Colín de las solapas.

—¡Llama a la policía!

—¡Nosotros somos la policía!

—¡Ha habido un secuestro! —dijo, sacudiéndolo, hasta que los botones tintinearon.

Millie estaba más pálida que las gachas que ya no comería. Miró a doña Humilde (la mujer que tendría que haber sido raptada) y después miró al alcalde (que estaba en medio de un trance tembloroso):

—Entonces, ¿quién es el secuestrado? —susurró.

Capítulo 11

DEMANDAS Y DISPAROS

Sal una noche sin luna a un lugar donde puedas encontrar conejos y lleva un farol contigo. Dirige la luz a los ojos de un conejo. El animal se quedará helado de miedo y será incapaz de moverse. Así es mucho más fácil pegarle un tiro.

Este truco, que podríamos llamar «ir de farol», es muy empleado por los cazadores furtivos. También es uno de los numerosos consejos útiles que aprenderás leyendo mis crónicas del profesor Randa. No pido dinero a cambio… Basta con que me envíes un buen guiso de conejo.

Ese era el aspecto que tenía el alcalde Twister: de conejo aterrorizado. Su mujer tomó el mando.

—Debemos decírselo al duque de Wellington enseguida —dijo.

—¡Me fusilará! —gimió sir Oswald.

—Quizá —asintió su mujer—. Pero, si no se lo dices, te encontrará tarde o temprano y te fusilará aún más. Su trabajo es proteger a la dama. Pensó que estaría a salvo con un alcalde… No sabía lo incapaz que puedes ser, Oswald. Pero ya da igual. El duque venció a Napoleón… Una pandilla de secuestradores no le dará problemas.

El alcalde Twister asintió y caminó con rigidez hacia el carruaje. Los agentes Gordon y Colín lo escoltaban tímidamente.

—Vosotros, montad atrás —ordenó lady Arabella.

A continuación, le dijo al cochero:

—Al muelle, Jack. ¡Y rápido, como si te fuese la vida en ello!

Jack chasqueó el látigo y los caballos trotaron hacia la salida del hospicio. Los pobres miraron mientras el carruaje dejaba atrás la puerta que habían abierto los policías. El carruaje iba dando saltos sobre los adoquines y le faltó poco para despachurrar varios gatos. Los agentes se sacudían de un lado a otro y sus botas subían y bajaban sin control en el asiento trasero.

—Me mareo —gimió Colín cuando el carruaje cayó al suelo tras un salto que le dejó el estómago en la boca.

El carruaje llegó al muelle y pasó como un rayo ante los astilleros y los graneros y las barcazas y la grava y los postes con amarras. Dejó atrás pescaderos, carpinteros, capitanes y carreteros, remachadores y aparejadores, fabricantes de calderas, herreros y tejedores de velas, marineros y sastres, constructores de mástiles y oficiales de cubierta, proveedores de buques y cuidadores de caballos, oficinistas en corbetas, marinos en barcos a vapor y hombres gordos en transbordadores.

Los soldados limpiaban sus armas sobre la cubierta del velero. Se levantaron de un salto al ver cómo se detenía el veloz carruaje. Formaron una fila impecable para hacer la guardia de honor a su protegida.

El duque de Wellington salió de su camarote y pasó entre ellos. Lo primero que vio fue la imagen de Oswald Twister saltando con torpeza del carruaje. El duque se puso el sombrero y esperó.

—¡Oh, su duquesidad! —gimió el alcalde—. ¡La hemos perdido!

—¿Perdido? —La cara de acero del duque apenas se inmutó.

—Creemos que la han secuestrado —gimoteó el alcalde.

—Explíquese —ordenó el duque.

Sir Oswald dejó escapar toda la historia. Era un revoltijo de palabras sobre pobres y gachas, pero al fin el duque empezó a comprender.

—La dejé a su cuidado, alcalde —dijo el duque.

—¿Me va a ejecutar? —susurró Twister.

—¡Por Dios, no! ¡Necesitamos su ayuda para encontrarla! ¡No me sirve de nada muerto! No, alcalde, primero la encontraremos… Y luego me pensaré si lo ejecuto.

—Gracias, señor —dijo Oswald Twister con una sonrisita.

El duque de Wellington mandó formar a las tropas y los policías en el muelle. Habló con rapidez.

—Hemos venido a Winrich con una visita importante. No hemos querido revelar su nombre, pues temíamos que fuese secuestrada. Hemos tomado la decisión de dejar a los soldados en el velero y de prescindir de la escolta para que la gente no sospechase lo importante que es. Pero, ciertamente es una mujer muy importante: la más importante

de Gran Bretaña. Las cosas han salido mal y ahora tenemos la obligación de encontrarla. Estamos hablando de la princesa Victoria. Y, cuando el anciano rey muera, se convertirá en la reina Victoria.

—¿Sabes quién soy? —preguntó la princesa Victoria. Estaba atada a una silla y miraba la máscara de gato de Nancy.

—Sí —asintió Nancy—. Es doña Humilde, del Humilde Hospicio Hospitalario.

—No, ese no es mi nombre. —La princesa torció el gesto de su cara delicada y redonda.

—Muy bien, que las cosas estén claras —replicó Nancy con un suspiró—. Su nombre es Angela Harper y salió hace poco de la prisión Darlham.

—Con toda la certeza de la que me inviste mi majestuosidad, te aseguro que no he salido de ninguna prisión. ¡Cómo te atreves a sugerir semejante idea!

—En realidad —negó Nancy con la cabeza—, no nos importa cómo se llame hoy. El hecho es que es nuestra prisionera y va a firmar una nota de rescate.

—La chica puso la nota enfrente de la cara de su prisionera.

Mi queridísimo Hengist:

Me han raptado y estoy atrapada en una guarida secreta donde nadie podrá encontrarme. Pronto alguien te llevará una nota a ti y otra al alcalde Twister. Exigen que los pobres sean bien alimentados y reciban ropa en buen estado. Firma la nota y seré libre. Juran que, si te niegas, me cocinarán en una gran olla y me servirán como cena a los pobres. Por favor, mi corazón, haz lo que te piden.

Firmado:

La princesa fulminó con la mirada la cara de gato de Nancy.

—¿Acaso parezco la insignificante supervisora de un hospicio?

—No lo sé. Nunca antes he visto una.

—Observa bien el anillo que llevo… Lo llamamos anillo estatal. Ahora escúchame. Voy a decirte quién soy y me vas a poner en libertad. Si lo haces, irás

a la cárcel cincuenta años por traición. Si no lo haces, te puedo asegurar que el duque de Wellington ya está en camino y me va a encontrar. En cuanto a ti, te arrestará y te fusilará. ¿Ha quedado claro?

Nancy asintió y, un poco confundida, dijo:

—Voy a hablar con la señorita…, con nuestra líder… A ver qué dice…

Dio la vuelta y caminó hacia la salida.

—¡Espera! —gritó la princesa—. Tráeme ropa limpia y prepárame un baño caliente y aromático. ¡He sido transportada en una carreta llena de basura! ¡Yo en un vehículo de esas condiciones! ¡La princesa Victoria! ¡La futura reina de Gran Bretaña! Al menos permite que me deshaga de este repugnante hedor.

—Pediré a los sirvientes que preparen un baño, toallas y ropa limpia ahí, en el vestidor de al lado —asintió Nancy—. Cuando lo tengan listo, llamaré a la puerta. Cuente hasta diez y entre a bañarse. Las habitaciones estarán cerradas por fuera. No podrá escapar. Pero no debe ver a los sirvientes y ellos no deben verla. ¿Queda claro?

La princesa se moría de rabia.

—Queda claro. Ahora, desátame.

El duque de Wellington se inclinó hacia el alcalde Twister y le echó el aliento en la cara.

—He oído historias sobre lo que hizo en las Residencias Cuchitril —dijo, señalando la parcela desolada y plana donde antes se alzaban las viviendas—. Parece que es un experto cuando se trata de dar órdenes a cien matones del ferrocarril.

—Sí, duque de Wellington, señor —dijo el alcalde, que parecía un abejorro atontado por el miedo.

—Hay… ¿Cuántas? ¿Cerca de dos mil casas en Winrich?

—Sí, duque de Wellington, señor.

—Quiero que esos cien hombres que hacen su trabajo sucio registren todas las casas. Que entren a todas las habitaciones, todos los áticos, todos los sótanos. Hablamos de veinte casas por matón. Que echen abajo las puertas si es necesario. Se dividirán en grupos de diez; uno de mis soldados estará al mando de cada grupo. Si alguien se interpone, mis hombres tienen órdenes de dispararar primero y hacer todas las preguntas necesarias después.

—Sí, duque de Wellington, señor.

El duque señaló al agente Colín.

—Ve corriendo a la zona de descarga de la mina. Ahora mismo hay un tren allí. Llévalo al final de la vía y recoge a todos los comandos. Después, regresa aquí con ellos. ¿Y bien? ¿Qué estás esperando?

—Perdone, señor, ¿sabe cuántos años tengo? Ya no puedo correr —se quejó Colín, chupándose una de las puntas de su bigote blanco.

A veces hago lo mismo cuando me preocupo, ¿y tú? Déjame darte uno de mis consejos. Nunca te chupes las puntas de tu bigote blanco después de comer remolacha: el bigote se pondrá rosado y parecerás tonto.

—No puedes correr, pero yo puedo disparar. —El duque sacó una pistola—. Si no estás al final del muelle cuando cuente diez, te pegaré un tiro.

Colín descubrió que, bajo circunstancias adecuadas, sí era capaz de correr.

El duque se volvió a Gordon.

—Corre a la oficina del capitán del puerto. Que no permita zarpar a ningún velero hasta que encontremos a la princesa.

Gordon se tambaleó e hizo algo parecido a correr.

—¿Cuántos caminos salen de Winrich?

—Solo el camino Mayor del Norte, que va de norte a sur, duque de Wellington —berreó el alcalde.

—Que su cochero lo lleve al sur del pueblo. Detenga todo el tráfico... Después, que lleve a su mujer al norte para que los secuestradores no se escapen por ahí.

El alcalde Twister dejó el velero a toda velocidad para cumplir las órdenes.

El duque de Wellington se volvió hacia su tropa.

—Coged balas y pólvora del armario y aseguraos de que lleváis los mosquetes cargados. Nos gustaría capturar a estos secuestradores con vida... Pero, si mueren al escapar, mal por ellos. —Los hombres de cara rocosa se movieron con rapidez y sigilo. El duque de Wellington tenía fuego en la mirada, como si disfrutase de haber vuelto a la acción—. Estos secuestradores son buenos..., pero ni el mejor secuestrador es tan bueno como yo. ¡Ja, ja! Ni Ruby Friday podría vencerme. Me pregunto qué habrá sido de la vieja Ruby.

Ruby Friday estaba sentada en la clase de la Academia de Truhanes del Profesor Randa... Los estudiantes la miraban y esperaban.

—Entonces, Smiff, ¿no llegaste a darle la nota de rescate al alcalde?

—Lo siento. Esperé en la esquina de la calle Mayor, como acordamos. Se supone que el carruaje empezaría a ir más despacio al acercarse a la comisaría.

—Así es. ¿Cuál fue el problema?

—No se dirigió a la comisaría. Fue a toda velocidad al muelle y hasta ese velero que llegó por la mañana —respondió Smiff—. El alcalde habló con un anciano en la cubierta y luego salió disparado hacia el camino Mayor del Norte.

—Disculpe, señorita —preguntó Martin en voz baja—. ¿Algo va mal? Millie sigue en el hospicio. ¿Qué le diré a mamá si no vuelve a casa?

Los dedos de Samuel Skill se habían estado moviendo como si trabajasen en un tejido invisible.

—Millie está a salvo por ahora. Necesitamos averiguar por qué el secuestro de doña Humilde ha levantado tanto alboroto. Solo es la mujer del supervisor del hospicio.

—¡No hemos secuestrado a doña Humilde! —gritó Nancy al entrar en la clase. Se había quitado la máscara de gato y su cara estaba pálida y temblorosa—. La mujer

a la que secuestré dice que es una princesa y que se llama Victoria. Creo que agarré a la persona equivocada.

—Debía haberlo adivinado —frunció el ceño Ruby Friday—. Por eso llevaba una guardia armada dirigida por el mismísimo duque de Wellington. ¿La has escondido bien?

—Sí —asintió Nancy—. Y no le he dicho a nadie dónde la tengo.

—En esta ocasión, es mejor que me lo susurres al oído —dijo Ruby Friday.

Cuando Nancy se lo dijo, la cara redondeada y rosada de Ruby se iluminó con una sonrisa.

—Oh, qué bien, Nancy… Una idea brillante.

—Pero tendré que soltarla. Hemos fracasado, ¿verdad?

—No, mi niña —negó Ruby con la cabeza—. Los mejores truhanes pueden cambiar los planes cuando algo sale un poco mal. ¿No es así, señor Skill?

—Cierto —dijo el profesor.

—Bueno, Smiff, ¡prepárate para escribir otra nota de rescate!

Smiff levantó la tapa de su escritorio y sacó una hoja de papel y una pluma. Comenzó a escribir.

Querido alcalde Twister:

La princesa Victoria es nuestra rehén. Ni el duque de Wellington podrá descubrir dónde la hemos escondido. A menos que se lo digamos.

Vivirá de gachas y agua, igual que los pobres, hasta que acepte estas condiciones:

1. Los malvados don y doña Humilde serán despedidos.
2. Una amable dama que se llama Friday lo visitará mañana. Usted le ofrecerá el trabajo de supervisora del hospicio.
3. Ella modificará las reglas para que los pobres puedan ir y venir según quieran. Nunca más se obligará a las familias a separarse.
4. El ayuntamiento del pueblo construirá unas Residencias Cuchitril nuevas y limpias, con ventanas de verdad, chimeneas amplias y buenos retretes. Todo con ladrillos y yeso de primera calidad. Cuando la obra sea finalizada, las familias del hospicio podrán alquilar habitaciones por un chelín a la semana.

Si no acepta las condiciones a lo largo de hoy, revelaremos al duque que USTED raptó a la princesa Victoria. Será fusilado. Firme abajo para certificar que acepta nuestras demandas.

Frente de Liberación del Pobre
Firmado:

—¿Y yo qué tarea tendré? —gritó Alice—. Esto es lo más emocionante que hemos hecho nunca en clase y hasta ahora solo he podido mirar.

—Podríamos encargarte la entrega de la nota al alcalde, pero… —El señor Skill parecía preocupado.

—¡Sí! ¡Lo haré!

—Es una misión llena de peligro.

—¿Según quién? ¿Según tú? —se burló Alice—. Ya sabes que mi segundo nombre es Peligro.

—Creía que era Estúpida —refunfuñó Smiff.

—El carruaje partió hacia el camino Mayor del Norte, ¿no es así, Smiff? —preguntó Alice, ignorando el comentario de su compañero.

—Para impedir que los secuestradores se escapen —intervino Samuel Skill—. Eso haría yo.

—Lo encontraré —dijo Alice.

—¡No olvides la máscara! —le advirtió Skill.

Ruby Friday garabateó una nota y la puso en un sobre, le echó un poco de lacre y lo cerró.

—Si Twister se niega, dale esto.

Alice agarró ambas cartas y salió corriendo… Justo a tiempo. El señor Skill cerró la puerta principal. Volvió a la clase.

—¿Qué hacemos ahora, señorita Friday? —preguntó Martin.

Alguien que golpeaba le ofreció la respuesta.

—Abran.

El señor Skill volvió a salir de la clase, cruzó el pasillo y abrió. Vio a un hombre enorme y con la piel tan mugrienta como su ropa.

—Vengo a registrar su casa —dijo.

—¿Tiene una orden de registro?

Una lenta sonrisa se extendió por el rostro del visitante.

—Sí.

—¿Podría verla?

El comando se puso tres dedos en la boca, se volvió y silbó. Un soldado de casaca roja apareció en la puerta y alzó su mosquete. Apuntó a los ojos del señor Skill.

—Perfecto —dijo el profesor—. Esa orden de registro es válida... Adelante. ¿Les puedo ofrecer una taza de té?

Mientras el comando revolvía el ático del edificio y seguía avanzando a portazos, Ruby Friday se escapó

por la puerta de la cocina. Trepó la valla que daba al jardín de la comisaría y salió a la calle Mayor por la sede policial.

La mejor secuestradora del mundo se dio prisa. Pasó entre niños que gritaban, mujeres que sollozaban y hombres que se morían de vergüenza. Los habitantes de Winrich se reunían en las calles a medida que los soldados y los hombres de las herramientas pasaban pateando, pisoteando y aporreando por sus casas, tiendas, cabañas y bodegas.

El inspector Bicher observaba la escena desde la puerta de la comisaría.

—¿Qué buscan? —gritó una mujer.

—Es un secreto —dijo el inspector—. Y quizá nunca lo lleguéis a saber.

Ni siquiera así encontraron a la princesa.

Capítulo 12

BRAZALETES Y BALLENAS

Cuando doña Humilde abrió la puerta de la celda de castigo, don Humilde tenía la cara blanca.

Cuando llegaron al comedor, su cara ya estaba púrpura de rabia. Los pobres lo ovacionaron.

—¿Qué? —rugió.

—¡Queremos más! —gritaron.

—¿Más? ¡Más! No os voy a dar nada de nada. —Alzó una llave en su mano—. Algún bufón me encerró en la celda de castigo. Nuestros importantísimos visitantes salieron aterrados. Me las vais a pagar, todos. Las puertas están cerradas. Nadie puede escapar. La cocina está cerrada. Nadie puede comer, ni siquiera una cucharita de gachas. Los hombres picarán

toneladas de piedra hasta que dejen de sentir los brazos. Las mujeres recogerán sacos y sacos de estopa hasta que les sangren los dedos. Los niños extraerán las semillas de diez sacos de algodón… Y si hay una sola semilla en uno de los sacos, doña Humilde les dará una buena tunda, ¿verdad, doña Humilde?

—Y lo disfrutaré —confirmó la mujer.

—Cuanto antes comencéis, antes comeréis… A lo mejor alguien prueba bocado mañana por la tarde —siguió su marido.

Los hambrientos pobres salieron a cumplir con su deber. Iban derrotados.

El alcalde Twister estaba firme, soportando el frío viento del este y discutiendo con quienes se mostraban en desacuerdo. En el atasco de carretas y caballos había un enfado generalizado.

—¡Que no puede pasar nadie! —gritó el hombrecito.

—¿Por qué no? —preguntó un granjero de ropa mugrienta.

—Porque lo ordena el duque de Wellington —replicó el alcalde.

—¿El duque de Wellington? ¿El mismísimo viejo *Welli* en Winrich? Si está aquí, me comeré las botas —dijo sorprendido el granjero. Su caballo comenzó a avanzar despacio.

—¡Vale! —dijo el alcalde Twister—. Si me dejáis registrar las carretas, ¡os dejo pasar!

—¿Registrar? ¿Para buscar qué?

—Es un secreto.

—No llevo ninguno de esos en la carreta —se rio el granjero—. Solo me acompañan unos gansos. Cuidado, saben dar buenos picotazos.

El alcalde Twister levantó el toldo. Un ganso lo saludó con un picotazo en la nariz.

Tras registrar veinte carretas, el alcalde casi se alegró al ver a un muchacho despeinado y de camisa negra que llegaba corriendo con un sobre en la mano.

—Mensaje para usted, señor alcalde —dijo Alice.

—Por fin —gimió, sacudiendo los pies helados—. ¡Ojalá que sea del duque y me diga que ya puedo volver al pueblo!

Abrió la nota de rescate que había escrito Smiff y la leyó. Comenzó a atragantarse como si alguien

le estuviese apretando la corbata con más fuerza
que la soga de un verdugo.

—Esto es ridículo. No esperarás que me rinda ante
estas amenazas.

El alcalde miró la máscara pintada de Alice

—¿Se niega a firmar? —suspiró la chica detrás de la
máscara.

—¡Pues claro que me niego, estúpido hombrecillo!

—Entonces lo ejecutarán… ¡Estúpido hombrecillo!
—dijo Alice y le puso la segunda carta en la mano.

El alcalde abrió el sobre y desdobló el papel. Tembló.
Se tambaleó. Se mareó. Se le cayó la carta. Lloriqueó.

Alice recogió el documento y le echó un vistazo
desde los agujeros de la máscara.

Alcalde:

La princesa Victoria está prisionera en SU casa. Será
interesante ver cómo se lo explica al duque antes
de que le pegue un tiro. Firme la nota o él sabrá dónde
encontrar a la princesa y que USTED es el secuestrador.

Un amigo

—Ooooh —gruñó el alcalde—. Soy demasiado joven para morir. ¿Qué hago?

—Si fuera usted, firmaría la nota —dijo Alice sacándose un lápiz del bolsillo.

Oswald Twister firmó.

El mayordomo de expresión gris y pelo gris abrió la puerta del número 13 de la calle del Sur, hogar del alcalde. Llevaba un frac negro, pantalones grises, camisa blanca y pajarita del mismo color.

—A sus órdenes, señor.

El visitante era tan ancho como la puerta y llevaba un hacha agarrada por el mango.

—Vengo a registrar la casa —dijo el hombre sin presentarse.

—Claro, señor. Enséñeme la orden de registro y será un placer servirle de guía.

El hombre levantó el mango del hacha y lo puso bajo la nariz del mayordomo.

—Aquí está mi orden de registro —dijo, repitiendo la fórmula que había dicho en las otras casas.

—Ah —sonrió el mayordomo—. Por lo que veo, es usted un enviado del alcalde Twister.

—Eso es.

—En ese caso, le encantará saber que esta es la casa del mismísimo alcalde Twister.

—¿Y?

—Pueees… Que sir Oswald no le enviaría a registrar su propia casa, ¿cierto?

—No, pero…

—De hecho, se enfadaría un pelín si le pisotease con esas botas, muy adecuadas para su labor, pero también muy embarradas, la alfombra que la criada acaba de limpiar —argumentó el mayordomo en voz baja—. ¿Cómo se llama?

—¿Cómo me llamo? ¡No tengo por qué decirle mi nombre! —protestó el comando, asustado.

—El alcalde estará encantado con su trabajo. ¡Al repartir las recompensas, su nombre estará en lo más alto de la lista!

—Bueno —dijo el comando—, cuando firmo la paga suelo poner una equis.

—Firme aquí.

El mayordomo le pasó un trozo de papel y un lápiz.

El hombre obedeció.

—¡Gracias! —dijo el mayordomo—. Yo mismo me encargaré de que el alcalde la reciba al llegar a casa. Le diré qué buen hombre es usted y la recompensa será el doble.

—Gracias, amigo —contestó el otro.

—¡Buenas noches y buena suerte! —dijo el mayordomo al cerrar la puerta.

Tras el mayordomo había una muchacha. Llevaba una máscara de papel con la cara de un gato.

—Ya está, Nancy, estás a salvo —anunció el mayordomo.

—Gracias —respondió Nancy, que apretó la mano gris del hombre de expresión gris y pelo gris.

—Pero cuanto antes te lleves a la invitada de la casa, mucho mejor. Le hemos ofrecido un enorme bocadillo

con nuestro mejor tocino, se ha bañado y le hemos dado un vestido y un sombrero de lady Twister.

Nancy asintió.

Alguien aporreó la puerta de repente, como una descarga de disparos de los soldados de Wellington.

—Quizá sea lo que estamos esperando —susurró el mayordomo, que se volvió a la puerta. La abrió.

La princesa Victoria caminaba por la habitación. Buscaba algo en los cajones del tocador. Había algunos corsés de ballena para una mujer incluso más gorda que ella.

Oh, qué triste es la vida de las ballenas. Vas nadando por el mar, tan feliz, y de repente alguien te clava un arpón y te arrastran a un barco. Te despellejan y te destripan. Y ¿qué crees que hacen con tus huesos? Los ponen alrededor de alguna tripa gorda para apretujarla hasta que parezca delgada. Si por mí fuese, prohibiría la caza de ballenas. Supongo que eso nunca ocurrirá.

Había bombachos y miriñaques, broches y brazaletes, polvos de talco y maquillaje. Pero ni rastro del nombre de la dueña de la habitación.

La princesa encontró un pequeño escritorio. Dentro había papel y pluma. Y un tintero.

El papel de la habitación en la que me han encerrado es verde pálido con rayas doradas. Hay un tocador de estilo francés y un escritorio a juego.

La bañera tiene decoraciones florales a un costado. Para bañarme, me han entregado jabón de manzanilla.

En un armario pintado de blanco hay ropa para una dama cuya cintura medirá cincuenta pulgadas y unos corsés para que aparente medir cuarenta. (Soy demasiado delgada para que sus vestidos me queden bien).

Los zapatos negros están hechos a mano y son tan grandes que cabría un lago para disfrute de las mascotas. Enormes.

 Hay dos broches (de vidrio barato, me parece), tres anillos, un collar de rubíes y diamantes, y un brazalete de plata (demasiado grande para mis muñecas).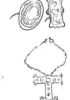

La dama usa perfume de rosa y lavanda, talco blanco para la cara y rosado para las mejillas.

Con esta descripción, la policía no tendrá dificultades para encontrar la habitación en que me han encerrado, arrestar a los villanos y juzgarlos y ahorcarlos por traición.

Princesa Victoria

Dobló la nota, la puso en un bolso que se colgó de la cintura y se sentó en la silla del escritorio. Esperó a que los secuestradores hiciesen su próximo movimiento.

Los agentes Colín y Gordon se encontraban frente al escritorio del inspector Bicher en el sótano de la comisaría. Una llovizna los había mojado por fuera y un sudor nervioso los mojaba por dentro. El gigantesco inspector les dedicó una mirada de desprecio.

—Una vez más habéis deshonrado al cuerpo de policía de Winrich.

—Lo sentimos, señor —susurró Gordon.

—Dejasteis a los secuestradores escapar con la princesa. Pasaron por la puerta principal del hospicio. ¿Quién vigilaba?

—Nosotros, señor —susurró Gordon.

—Nosotros, señor —repitió Bicher, burlándose de su subalterno—. Solo se pudieron escapar del hospicio de una manera: en la carreta de la basura. La misma carreta que no os pareció importante registrar.

—Bueno, señor —replicó Colín—, es que, en términos absolutos, todas las boñigas se parecen y pensamos…

—¡Pensasteis! Vaya, eso sí que es nuevo. ¡Los agentes Colín y Gordon piensan! —rugió el inspector—. Salid de aquí y encontrad esa carreta de la basura…

Y arrestad a los conductores. Aunque supongo que habrán dejado el pueblo mucho antes de que el duque bloquease los caminos.

Así era. Los dos hombres fueron a Darlham, donde robaron estupendamente la basura. De hecho, la robaron tan bien, que la directiva de Darlham les pagó para trabajar ahí. Los dos villanos se convirtieron en honrados trabajadores. Qué curioso es el mundo. Huele fatal, eso sí, pero es muy curioso.

Los dos viejos agentes subieron cansados las escaleras y pisotearon los adoquines de las calles de Winrich. La gente se agrupaba en las esquinas.

—¿Qué buscan? —preguntó la sombrerera.

—Al emperador de China, según la señora Potterwick.

—Seguro que mi *Alfie* lo encontraría. Está entrenado, ¿sabes? —La sombrerera dio unas palmaditas en la cabeza del perro.

—¿Qué? ¿Entrenado para seguir el rastro de los emperadores de China? ¿Cómo sabe a qué huelen?

—Tengo una tetera de porcelana china —dijo con orgullo la sombrerera.

El mayordomo abrió la puerta del número 13 de la calle del Sur. No eran los soldados de Wellington. Era Alice. Ahí estaba, con su máscara de muchacho despeinado. Vio a Nancy y agitó la nota de rescate bajo su nariz.

—¡Ha firmado! —dijo—. Ve a buscar a la princesa.

—Ojalá la secuestrada fuera doña Humilde. La princesa esta no deja de dar problemas.

—No te preocupes, todavía podemos hacer que ayude a los pobres de Winrich. Su velero está en el puerto. Volvemos ahí con ella, sacamos a Millie del hospicio y misión cumplida.

Alice y Nancy corrieron al segundo piso y cogieron un saco de una mesa. Se ajustaron las máscaras y abrieron la puerta.

—Vamos a dejarla en libertad.

—¿Ha pagado el duque una fortuna como rescate? —preguntó Victoria.

—No queremos su dinero —dijo Alice—. Vamos a llevarla de vuelta al muelle.

—¿Queda lejos? —preguntó la princesa cautelosa—. No estoy acostumbrada a caminar.

Alice era demasiado lista para caer en la trampa.

—Nunca lo sabrá. Vamos a vendarle los ojos para que nunca pueda encontrar esta casa.

—Mis pies notarán el esfuerzo —gimoteó Victoria—. ¡Mis pobrecitos pies!

—La llevaremos en una carretilla —dijo Alice—. Siéntese bien quietecita mientras le pongo este saco en la cabeza.

—Umm, mmm, ¿mmm? —se oyó la voz real.

—¿Qué? —Nancy levantó el saco.

—Decía… ¿De dónde habéis sacado este apestoso saco?

—De la tienda de cabezas de cordero —explicó Nancy, y volvió a cubrirla.

—Umm, mmm, mmm, ¡¡¡mmm!!!

Quizá pienses que es horrible que te tapen la cabeza con un saco maloliente de la tienda de cabezas de cordero. ¡Qué va! No olvides algo: es peor para los corderos.

Capítulo 13

FUSILAMIENTOS Y FECHORÍAS

—Disculpe, señor —dijo Millie Mixly a don Humilde—. Ya he recogido todas las semillas de mi algodón. ¿Me podría dar más trabajo?

—Ya no queda algodón —gruñó don Humilde.

—No, señor, pero quizá pueda ayudar a las mujeres a recoger estopa —dijo animada.

—Podría ser… Pero es un trabajo difícil. Los dedos te sangrarán.

—No me importa, señor. ¡Es que es tan bonito vivir aquí, que haría cualquier cosa para ayudar!

—Este niño está mal de la cabeza —reflexionó en voz baja don Humilde—. Probablemente ha estado comiendo demasiadas gachas. —Abrió la puerta

del taller femenino. Treinta mujeres agotadas agarraban sogas y las deshacían hasta que solo quedaba un montón de hilos sueltos—. Ahí tienes —ordenó don Humilde—. Te queda media hora, luego toca hacer ejercicio en el patio.

Millie asintió y pensó: «Media hora para coger trozos de soga y hacer una escalera de cuerda. Una escalera tan larga que pase el muro del Humilde Hospicio Hospitalario y llegue al otro lado».

La carretilla traqueteaba por las calles de Winrich. De camino al muelle, oculto e inmovilizado por el saco, el cargamento se retorcía y gemía, temblaba y se quejaba. La compañía de soldados estaba reunida en la cubierta del velero, que recibía el azote del viento.

La carretilla se ladeó bruscamente sobre los adoquines y dos enmascarados subieron corriendo la colina hacia la calle Mayor.

El duque de Wellington caminaba de lado a lado. Su cara furiosa recordaba a una jirafa con tortícolis.

—No se han podido escapar ni por los caminos ni por el mar. Entonces, ¿dónde está la princesa?

—Aquí estoy —soltó la princesa Victoria mientras pisoteaba la plancha que daba a la cubierta.

—¡Está en libertad, señora! —gritó el duque.

—Y no gracias a ti —anotó con enfadó la princesa—. He sido raptada en una carreta llena de basura, retenida contra mi voluntad, casi asfixiada con un saco para cabezas de cordero y transportada hasta aquí en una incómoda carretilla. Alguien pagará en la horca por este crimen. ¡No consentiré que haya secuestradores sueltos por ahí!

—¿Cómo eran los secuestradores, señora? —preguntó el duque.

—Uno parecía un gato… El otro era un muchacho bajito muy despeinado.

Un viento salvaje soplaba sobre el valle y los agentes de policía decidieron regresar a Winrich.

—Me duelen los pies —suspiró Colín.

—Tengo hambre —gimió Gordon.

—Pero no podemos descansar hasta que hayamos arrestado a alguien.

Pasaron por la Academia de Truhanes del Profesor Randa y se detuvieron.

—¿Y si hacemos una pausa en la comisaría?
El inspector Bicher estará en su oficina. No notará si
nos tomamos una tacita de té y un trozo de pan con
queso —sugirió Colín.

A Gordon se le hizo la boca agua y empezó
a babear como un bebé.

*Los bebés: esos seres que tienen un montón de costumbres
repelentes. Algunas de ellas están relacionadas con pañales.
Sabes a lo que me refiero, ¿verdad? Si la única costumbre
de bebé que tenía el agente Gordon era babear, los habitantes
de Winrich se podían considerar afortunados.*

En ese momento vieron algo extraño. El inspector
Bicher salió por la puerta de la comisaría. Se caló
un sombrero enorme en su enorme cabeza y se fue
caminando por la calle.

—¡Se supone que en este momento estamos buscando
a los basureros! —chilló Colín y arrastró a Gordon tras
el portal de la Academia de Truhanes del Profesor Randa
para esconderse hasta que pasase el peligro.

Nancy y Alice iban jadeando por la cuesta
que pasaba por la casa de Smiff. La madre del chico,
la señora Smith, las vio desde la puerta.

—¡Oooooh! Hola, Smiff, ¿qué tal? —dijo la mujer a Alice—. Deberías ponerte un sombrero… Hace mucho frío. No quiero que pilles un resfriado.

—Hola, eh… Tengo mucha prisa, mamá —dijo Alice, y se alejó por la calle.

—Qué bajito te veo hoy, hijo —se extrañó la mujer, mirando con los ojos entrecerrados a la muchacha.

—Es que me bañé con agua caliente y encogí en la bañera —se justificó rápidamente Alice.

—¡Ooooh! Una vez le pasó eso a uno de tus chalecos… Encogió muchísimo. Intenté ponértelo y casi te estrangulo…

—¡Tengo mucha prisa! —trató de despedirse Alice.

—Veo que tienes un gato nuevo, ¡qué monada! —dijo la mujer, señalando a Nancy.

—Sí… Hasta luego.

—¿Quieres que le dé un poco de leche?

—No. Solo bebe sangre. ¡Adiós, mamá! —gritó Alice.

—¡Miau! —dijo Nancy, y saludó con la pata.

Las dos muchachas fueron corriendo hasta la calle Mayor. La gente que se había juntado en las esquinas volvía a sus casas o al trabajo.

—Parece que han encontrado al emperador de China —dijo la sombrerera—. El velero está a punto de zarpar. —Después, la mujer entró en la sombrerería tirando del perro, que chirriaba sobre las ruedas.

—¡Lo conseguimos, Nancy! —Alice dejó de correr—. ¡Por fin a salvo! —suspiró al entrar por la puerta de la Academia de Truhanes.

Una mano pálida, larga y huesuda se posó en el hombro de la muchacha.

—¡Queda arrestado en nombre de la ley! —exclamó el agente Colín—. Es el tipo que iba con los basureros en el hospicio. Vaya, ¡el maravilloso e intrépido cuerpo de policía de Winrich ha vuelto a triunfar! No me sorprendería que lo ahorquen por el crimen.

—¿Qué hacemos con él? —dijo Gordon mientras cerraba las esposas en las delgadas muñecas de Alice—. El inspector Bicher acaba de irse.

—Llevémoslo ante el duque, que está en el velero. Él sabrá qué hacer.

—¿Y el gato?

—Que se vaya, ya encontrará otro dueño —dijo Colín.

—Bueno, supongo que un gato siempre podrá irse gateando hasta donde quiera —bromeó Gordon.

Tengo que darte la razón. No era una broma muy graciosa, pero los policías andaban tan tontos de alegría que les pareció divertidísima. Al menos era mejor que recibir golpes en la cara con un arenque.

Los policías sacaron a Alice a rastras a la calle. Nancy fue corriendo a la escuela para informar de lo que acababa de ocurrir.

En el hospicio, don Humilde tenía problemas para escribir su informe.

HOSPICIO HOSPITALARIO

FECHA: VIERNES, 16 DE MARZO DE 1837
INFORME: Desaparición de un pobre.
El pobre Número Uno ha desaparecido. Estaba trabajando en el taller de estopa. No apareció a la hora del ejercicio. Como estaba tan flaco, quizá se deslizó bajo la puerta. Las pobres no intentaron detenerlo. Serán castigadas.

—No seas tonto —dijo doña Humilde, leyendo por encima del hombro de don Humilde—. Si notificamos la desaparición de un pobre, nos dejarán de pagar su parte.

—¿Qué hacemos?

—Busca un uniforme. Lo rellenamos con estopa y lo tiramos en la celda. Haremos como si el pobre nunca se hubiese ido.

El velero estaba a punto de partir cuando llegaron los agentes Colín y Gordon gritando:

—¡Tenemos al secuestrador! ¡Tenemos al secuestrador!

El duque salió a cubierta, seguido de la princesa Victoria.

—¿Es este el villano?

—Parece que han atrapado a uno —dijo la princesa—. Que lo ahorquen.

—No tendremos tiempo si es que queremos aprovechar la marea —repuso el duque. Gritó unas órdenes y los soldados corrieron de vuelta a la cubierta—. Quitadle las esposas al prisionero —pidió a Colín y a Gordon—. Esposadlo a ese farol, con las manos tras la espalda, para que no se escape.

—Sí, señor —dijeron los agentes, y obedecieron a toda prisa.

El duque mandó formar a sus soldados frente a Alice.

—Tenemos el deber de ejecutar al traidor. Formad una fila. Apuntad al corazón.

—¡Prefiero no mirar! —chilló Victoria, y salió disparada a su camarote.

—Creo que me voy a marear…, otra vez —se quejó Colín. Se dio la vuelta.

—¿Qué hemos hecho? —se lamentó Gordon—. Volvamos a informar al inspector Bicher.

Los viejos agentes salieron corriendo. Al final de la calle Menor pasaron ante un grupo de personas que bajaban la colina a toda velocidad. Los ancianos ni se fijaron. No dejaban de repetir: «¿Qué hemos hecho? ¿Qué hemos hecho?».

Tras formar la fila, los soldados alzaron sus rifles. El duque caminó hacia Alice.

—¿Tienes un último deseo?

—Sí, uno muy importante —dijo la muchacha tras la bolsa de papel—. Si no es molestia, me gustaría morir a una edad avanzada.

—Deseo denegado —contestó el duque con frialdad.

Se apartó, llenó sus pulmones de aire y dio inicio al ritual de fusilamiento:

—Guardias, cargad…, apuntad…, y…

Una pequeña figura voló por el muelle. Millie Mixly se interpuso entre el pelotón y Alice.

—¡Recordad la Carta Magna! ¡Recordad la Carta Magna! —gritó—. Ningún hombre libre podrá ser arrestado o encarcelado, excepto mediante un juicio justo de sus pares y según la ley del reino.

Los mosquetes de los soldados se movieron un poco.

—El chaval tiene razón, señor —dijo el sargento.

—Esto es alta traición —argumentó Wellington—. Es culpable… Todos habéis oído a la princesa. Bien… Cargad…, apuntad…

Millie no consiguió que el duque cambiase de opinión. Pero había aplazado la ejecución un minuto. Fue suficiente para que los estudiantes y profesores de la Academia de Truhanes del Profesor Randa, avisados por Nancy, llegaran al muelle.

—¡Esperad! —gritó Samuel Skill. Extendió la mano y le quitó la máscara de papel a Alice—. ¡Es una chica! ¿Qué clase de cobardes matarían a una chica a sangre fría?

Los soldados bajaron sus armas.

—Una cosa es matar soldados franceses en Waterloo —dijo el sargento en voz baja—. Por usted, señor, estoy dispuesto a ejecutar a un traidor sin un juicio justo… Pero ¡una niña pequeña!

Los soldados dejaron los rifles y se volvieron. La cara del duque resplandecía roja de furia. Sacó una pistola y apuntó a la cabeza de Alice.

—No te tengo miedo —lo desafió Alice.

—Las niñas pequeñas no se dedican a planear secuestros. ¿Quién está detrás de todo esto? Lo ejecutaremos en tu lugar.

—¡Yo! —contestó Samuel Skill por su alumna—. Nuestro plan era secuestrar a la esposa del supervisor del hospicio… Lo de la princesa fue un error. Si va a ejecutar a alguien, ¡que sea a mí!

—Muy bien —aceptó el duque—. Sargento, desate a la muchacha. Este hombre ocupará su lugar.

La más lenta de todas esas personas por fin llegó al muelle.

—¡Yo lo ocuparé! —irrumpió Ruby Friday—. ¡A mí también tendrás que pegarme un tiro, Wellington! Al fin y al cabo, yo lo planeé todo. Yo: la mejor secuestradora del mundo.

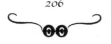

—¿Ruby Friday? ¿Después de todos estos años?
—La cara del duque perdió el color.

—¿Por qué no tenemos una pequeña charla antes de mi fusilamiento? —dijo la mujer sonriendo.

El duque leyó bajo la luz marina el papel que sostenía Ruby. El rostro se le quedó helado.

CUARTEL GENERAL DEL EJÉRCITO BRITÁNICO, WATERLOO

17 de junio de 1815

Estimado Bonaparte:

Te envío esta breve nota para decirte que espero con ilusión que mañana tengamos una bonita y estupenda batalla. Eso sí: ¡espero que pierdas! Verás, unos agentes secretos británicos han secuestrado a tu querida Josefina. Es mi prisionera. Está cómoda, pero oculta en un lugar donde es imposible encontrarla.

Sus guardias tienen órdenes. Si en cualquier momento llega a parecer que tus francesitos van ganando la batalla, meterán a tu querida dama en un cañón y te la enviarán de vuelta con un disparo. Ten cuidado, pues podrían mancharse todas esas brillantes medallas de tu uniforme.

Sé que esto es tremendamente injusto, viejo amigo. Pero, ya sabes, todo vale en el amor y en la guerra. En fin, pierde mañana la batalla de Waterloo o nos cargamos a tu amada. Envía la respuesta con este mensajero y le perdonaremos la vida a la emperatriz.

Con mis mejores deseos y hasta mañana,

Arthur Wellesley

Duque de Wellington y marqués Douro, duque de Ciudad Rodrigo, marqués de Torres Vedras, conde de Vimeiro.

Cuando el reloj dio las cuatro, los profesores y estudiantes de la Academia de Truhanes del Profesor Randa caminaban por la colina de vuelta a la escuela.

El velero dejaba las aguas del río para adentrarse en el océano. Un viento frío hinchaba sus velas.

Ya se te habrá olvidado lo que dije al comienzo.
La esposa del alcalde que gobernaba Winrich en 1901 tenía
mucha razón cuando dijo: «La Reina Victoria nunca vino
a Winrich». Pero también estaba muy equivocada. ¿Lo ves?
Victoria visitó el pueblo cuando era princesa. Nunca estuvo
como reina. ¡Se negó en redondo! Y nunca permitió que
Winrich se convirtiese en ciudad. ¡Ahora ya sabes por qué!

En el muelle todavía había astilleros y graneros
y barcazas y grava… Pero no había cadáveres, ni balas,
ni sangre.

La noche comenzó a caer. Uno de los días más
extraños de la extraña historia de Winrich había
quedado atrás.

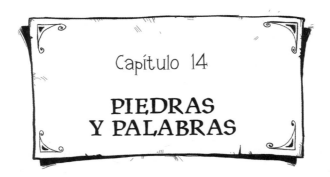

Capítulo 14

PIEDRAS Y PALABRAS

Sábado, 17 de marzo de 1837

Lady Arabella Twister estaba sentada en el comedor de la calle del Sur, número 13. El mayordomo servía la sopa en silencio.

—Prometí despedir a los Humilde y reconstruir Residencias Cuchitril —suspiró el alcalde.

—Qué estupidez, Oswald —resopló su esposa con la cuchara sopera todavía en la boca—. Dijeron que le contarían al duque que la princesa Victoria fue prisionera en esta casa. ¿Y qué? Ya no está. No tienen cómo demostrar que estuvo aquí. Que los Humilde se queden. Mejor nos ahorramos el dinero y no construimos ningunas Residencias Cuchitril nuevas

con alquileres baratos para ayudar a los pobres. Deja que los secuestradores se queden esperando.

—Si tú lo dices, cariño —suspiró el alcalde Twister.

—Claro que lo digo.

El mayordomo se llevó los platos de la sopa, ya vacíos. Entró enseguida a la cocina y garabateó una nota.

PODEROSO CABALLERO ES DON DINERO
¡Más Poderoso aún es don Oro!

N

CREO QUE DEBÉIS SABER ESTO. EL ALCALDE TWISTER NO CUMPLIRÁ CON SU PALABRA. DICE QUE NO PODÉIS DEMOSTRAR QUE LA PRINCESA ESTUVO AQUÍ. LO SIENTO. PARECE QUE EL PLAN HA FRACASADO.

B

Escribió «Nancy Nabo» en un sobre. Una criada lo entregó en la Academia de Truhanes del Profesor Randa.

Lunes, 19 de marzo de 1837

El lunes por la mañana los estudiantes se reunieron en la Academia de Truhanes del Profesor Randa.

—¿Y bien, Ruby? ¿Qué le dijiste al duque? —preguntó Alice—. El señor Skill ya estaría en el otro barrio si no es por ti.

Ruby sonrió con sus rotundas mejillas.

—Le recordé que es un héroe mundial gracias a su brillante victoria en Waterloo. Pero también le recordé que no seguiría siéndolo si yo contase cómo hizo trampas… Cómo fui yo quien ganó la batalla al secuestrar a la esposa de Napoleón. Todavía tengo el mensaje que me escribió. ¡Bendito Waterloo! No le quedó otra opción.

—La princesa Victoria no estaría muy contenta —se rio Alice.

—No lo estaba —se burló Millie Mixly—. Vi cómo le echaba la bronca al duque al zarpar.

Como dije antes, durante su larga vida Victoria sobrevivió a ocho intentos de asesinato. Todos fallaron. Siempre exigió que se ahorcase al culpable. ¡Y cada vez estuvo a punto de morirse de rabia porque no lo hacían! ¡Ja! Victoria y sus victorias morales…

—¿Entonces? ¿Qué salió mal en el secuestro y por qué casi nos fusilan? —preguntó el señor Skill—. Incluso en las mejores escuelas los estudiantes cometen errores… Lo importante es que aprendan de ellos. ¿Por qué acabamos Alice y yo frente a un pelotón de fusilamiento?

Smiff cogió una hoja de papel y escribió.

¿Qué salió mal?

Nancy raptó a la mujer equivocada.
Alice se dejó puesto el disfraz
demasiado tiempo.

—Pero ¿qué salió bien? —exclamó Ruby Friday—. ¡Mirad el lado bueno de las cosas!

¿QUÉ SALIÓ BIEN?

EL ALCALDE TWISTER PROMETIÓ DESPEDIR A LOS HUMILDE Y RECONSTRUIR LAS RESIDENCIAS CUCHITRIL. SECUESTRAMOS A LA MUJER MÁS IMPORTANTE DEL REINO… Y CASI NO NOS PILLAN.

—Y la próxima vez no cometeremos el mismo error. Empecemos a planear el siguiente secuestro —dijo Samuel Skill moviendo sus ondulantes dedos con entusiasmo.

—¿Quién será la víctima? —preguntó.

Nancy se sacó un sobre del bolsillo y se lo dio al profesor.

—¡Ah! —Samuel Skill asintió—. Creo que ya tenemos la respuesta. Primero voy a hablar con el profesor Randa.

El profesor tomó la carta y desapareció por una puerta que llevaba al sótano de la Academia de Truhanes.

El cuarto, iluminado apenas por una vela, estaba prácticamente en tinieblas. Se abrió una puerta tras el telón y habló una voz grave.

—Mi buen amigo Samuel. ¿Qué te trae por aquí?

—Un problemilla, profesor Randa.

En la comisaría de Winrich, los agentes Colín y Gordon estaban de pie frente al escritorio del inspector Bicher.

El inspector tenía dos hojas de papel.

CUERPO DE POLICÍA DE WINRICH

¿Qué salió mal?

La policía de Winrich permitió que la VIP fuese secuestrada ante sus propias narices. Los torpes agentes no descubrieron dónde la ocultaban.

—Pero ¿qué salió bien? —exclamó Colín—. ¡Mirad el lado bueno de las cosas!

CUERPO DE POLICÍA DE WINRICH

¿Qué salió bien?

Los despiertos agentes atraparon a un secuestrador y lo entregaron al duque. Además, la policía de Winrich logró enviar un mendigo ciego al hospicio.

—Como de costumbre —asintió el inspector Bicher—, la policía de Winrich logró mantener el pueblo a salvo de los villanos que se ocultan en las cloacas. Y vosotros conserváis vuestros trabajos...

—¡Gracias, señor!

—... Al menos por un mes más.

—¡Ah!

Martes, 20 de marzo de 1837

Al día siguiente, lady Twister estaba sentada en el sótano de la Academia de Truhanes, frente al telón. Alguien le quitó un saco de la tienda de cabezas de cordero y por fin pudo respirar. Tenía la cara roja. Su sombrero se había estropeado.

—Esto es una vergüenza. ¡El culpable acabará en la horca!

Se volvió y miró al secuestrador, que la había bajado por las escaleras. Para este rapto, Alice había diseñado una agresiva máscara con el rostro de la propia lady Twister.

—¡Aaarrrrgh! —gritó Arabella—. ¡Qué mujer más fea!

¡Qué razón tenía!

—Si alguien acaba en la horca, será usted, lady Twister —tronó una voz grave tras el telón.

—¿Eh?

—La princesa Victoria estuvo prisionera en su casa, en su habitación. Cuando el duque de Wellington lo descubra, la arrestará.

De repente, los antipáticos ojos de la alcaldesa se parecieron a los de un perro en una salchichería.

—¡Nunca podréis demostrarlo! —cacareó.

Alice desdobló un trozo de papel y lo sostuvo para que lady Twister leyera. Era la nota que había escrito la princesa Victoria. Describía la habitación donde la habían llevado, que no era otra que la de lady Twister. La mujer intentó aparentar aplomo pero solo consiguió verse apocada.

—Saqué esto del bolso de la princesa antes de tirarla de la carretilla —explicó Alice.

Viernes, 30 de marzo de 1837

Las familias de Residencias Cuchitril tuvieron un día libre gracias a la nueva supervisora del hospicio, Ruby Friday. Los grupos, bien alimentados y felices, cruzaron el puente y pasearon por la orilla del río.

Un edificio nuevo y elegante empezaba a alzarse donde antes se amontonaban las Residencias Cuchitril.

El alcalde Twister y su esposa estaban sentados bajo la débil luz del sol. Tenían una expresión amarga. La primavera no se decidía a llegar a los cielos de Winrich, pero parecía que los pobres ya estaban disfrutando del verano. Una a una, las familias se apuntaban para vivir en las nuevas habitaciones cuando estuviesen listas.

—¿Cuánto? —preguntó el señor Jones (el organillero).

—Un chelín a la semana —contestó entre dientes el alcalde, como si le doliese.

—¡Qué barato! —exclamó la señorita Jones (la cantante callejera).

—Podríamos pagar el doble sin problema… O el triple —dijo rápidamente el hombrecillo.

Detrás de él había una figura de baja estatura. Su cara se parecía mucho a la de lady Twister. Tosió.

—Vaya, tengo aquí una nota de la princesa Victoria —dijo.

El alcalde Twister suspiró.

—No, buen hombre. El alquiler es un chelín… Ni uno más.

—¡Me quedo! —se rio la señorita Jones.

—Eso me temía —dijo el alcalde.

El hospicio estaba casi vacío. Solo quedaban
el mendigo ciego y una nueva pareja de internos.
Ella trabajaba haciendo estopa. Sudaba sobre montones
de sogas, descosiéndolas hasta que le sangraban
los dedos. En el patio para hombres, él sentía intensos
dolores por todo el cuerpo mientras picaba piedra.
El sudor cubría su frente.

Ruby Friday actualizó el registro.

Fecha	Nombre	Clase	Edad	N.°
22 Mar. 1837	Harper, Hengist	H	33	101
	Harper, Ángela	M	39	102

El mendigo ciego no trabajaba. Simplemente,
se dedicaba a observar mientras Hengist Harper
sudaba sobre las rocas partidas.

—No puedo picar piedra: ¡estoy ciego! ¡Podría golpear a alguien en la cabeza por error! De todas formas, tengo visita.

La sombrerera de la calle Mayor se había tomado una hora libre para visitarlo y llevarle su perro.

—¿Estás contento aquí? —preguntó la mujer.

—Más contento desde que llegó la señorita Friday —dijo el mendigo—. ¿Y tú?

—¡Más contenta desde que tu perrito me hace compañía! —se rio ella.

—Qué bien —dijo el mendigo—. ¡Todo el mundo está contento!

Hengist Harper alzó la vista. Parecía que quería estampar su martillo en la cabeza de alguien.

Y eso demuestra que no todos pueden tener un final feliz.

No te pierdas las aventuras anteriores

**ACADEMIA DE TRUHANES
DEL PROFESOR RANDA**

CURSO PARA RATERILLOS

LADRONES Y FOGONEROS